J'AIDE MON ENFANT À BIEN PARLER, BIEN LIRE, BIEN ÉCRIRE

D1089221

2/2/2

5

Dr Ghislaine Wettstein-Badour

J'AIDE MON ENFANT À BIEN PARLER, BIEN LIRE, BIEN ÉCRIRE

Deuxième édition 2014

EYROLLES

Éditions Eyrolles
61, bd Saint-Germain
75240 Paris Cedex 05
www.editions-eyrolles.com

Mise en pages : Compo-Méca - 64990 Mouguerre

© Groupe Eyrolles, 2006, 2014
ISBN : 978-2-212-55855-5

Pour Eva

SOMMAIRE

INTRODUCTION

Devant l'ampleur de l'échec qui frappe de très nombreux enfants et adolescents dans le domaine de la lecture, de l'écriture et de l'orthographe, nombreux sont les parents qui se posent cette question : comment puis-je prévenir ces difficultés chez mon enfant, en dépister les signes annonciateurs, et quelle aide puis-je lui apporter aux différents stades de son évolution ?

L'action des parents est d'autant plus importante qu'il est possible de démontrer que la manière dont on conduit un apprentissage a des répercussions sur l'anatomie du cerveau, en modifiant la surface des aires cérébrales et les circuits qui les unissent. **Les choix pédagogiques ont ainsi des conséquences majeures sur le développement de l'intelligence.**

Confrontée chaque jour depuis plus de trente ans, en tant que médecin, à des enfants, adolescents et jeunes adultes qui ne parviennent pas à maîtriser correctement leur langue à l'oral ou à l'écrit, il m'a semblé indispensable d'élargir mon action en fournissant aux parents les réponses à leurs interrogations, mais aussi les moyens à mettre en œuvre pour aider leur enfant, de la naissance à l'adolescence, et remplir efficacement, auprès de lui, leur rôle d'éducateurs privilégiés auquel personne ne peut se substituer.

Cet ouvrage, qui s'appuie sur les connaissances les plus récentes des neurosciences dans le domaine du langage oral et écrit, se veut essentiellement pratique.

Les parents trouveront donc ici des conseils et des exercices destinés à apprendre à l'enfant à bien parler, en premier lieu, et en second lieu à acquérir les éléments indispensables pour parvenir à lire et écrire correctement, et à maîtriser l'orthographe.

Ils y trouveront également les solutions à appliquer pour corriger d'éventuelles lacunes, depuis le simple retard d'apparition du langage jusqu'à la dysorthographie la plus sévère. L'enfant sera alors en mesure d'optimiser le développement de ses capacités de conceptualisation, c'est-à-dire d'une composante majeure de son intelligence.

CHAPITRE 1

COMMENT LE CERVEAU APPREND À LIRE ET À ÉCRIRE

Au programme

- Le mot n'est pas une image
- L'approche globale de la lecture n'existe pas
- L'apprentissage de la lecture et de l'écriture nécessite la connaissance du code alphabétique de la langue
- Le code alphabétique doit être appris de manière explicite
- L'apprentissage conjoint de la lecture et de l'écriture est une nécessité

Cet ouvrage se veut essentiellement concret. Il n'a pas pour but de fournir une explication détaillée du fonctionnement du cerveau dans l'apprentissage de la langue orale et écrite. Les lecteurs intéressés par ces questions pourront prendre connaissance de la bibliographie présentée en annexe, ainsi que des diverses publications et articles que j'ai moi-même écrits sur ce sujet.

Cependant, un minimum de données sont à préciser pour que les parents puissent porter un jugement objectif sur les pédagogies proposées à leurs enfants et pour qu'ils soient en mesure, s'ils le désirent, de leur apporter une aide efficace en ce domaine. Nous rappellerons donc uniquement – et de manière très schématique – les points fondamentaux qu'il importe d'avoir en mémoire pour atteindre ce résultat.

Face au problème de l'apprentissage de la lecture et de l'écriture, les parents sont fréquemment inquiets et déroutés. Les chiffres publiés sur le taux d'échec des élèves en ce domaine, souvent contradictoires, n'incitent pas à l'optimisme. Nombre de familles, qui ne se sont pas informées sur les pédagogies utilisées dans l'école de leurs enfants, les découvrent en CP et commencent à se poser des questions sur leurs avantages et inconvénients. Les réponses que leur apportent les maîtres dans les réunions de classe les laissent souvent perplexes. On leur affirme que, la méthode globale étant abandonnée, toutes les pédagogies se valent, et que la seule différence entre elles vient de la manière dont le maître en fait usage. Si leur enfant réussit, ils sont rassurés. Mais quand les semaines passent, puis les mois, et que le fameux « déclic » annoncé par l'enseignant ne se produit pas, ils sombrent alors dans une véritable angoisse. Tandis que d'autres enfants s'adaptent à la méthode utilisée ou que des frères ou sœurs aînés ont réussi à lire avec des pédagogies du même type, cet enfant peine, et plus le temps passe, moins sa lecture progresse.

Certains parents pensent alors le plus souvent que l'enfant ne s'applique pas et ne fait pas d'efforts. D'autres sont tentés de mettre la responsabilité de cet échec sur le compte de la pédagogie employée. Qu'en est-il exactement ?

Un grand nombre d'études, dont certaines ont été couronnées par le prix Nobel (R. Sperry en 1981, É. Kandel en 2000), ainsi que de très nombreuses publications scientifiques, y compris des travaux récents pratiqués entre 2000 et 2005 en IRMf (imagerie par résonance magnétique fonctionnelle), permettent de mettre en évidence cinq conclusions essentielles.

Le mot n'est pas une image

Les travaux du prix Nobel R. Sperry (1981) démontrent que le cerveau sait différencier les signes graphiques qui composent le langage écrit des autres types de graphismes (dessins, images) et qu'il ne leur applique pas le même mode de traitement.

Dans toutes les langues, le cerveau traite de manière différente le dessin et les mots. Le dessin (ou l'image) représente des réalités de l'environnement que l'on comprend par comparaison avec ce que l'on a déjà rencontré. Quant aux signes graphiques qui représentent des sons (lettres, idéogrammes ou notations musicales), ils n'ont aucune réalité concrète : ils sont la trace écrite d'un son et ne peuvent être compris qu'après apprentissage du lien qui relie ces sons aux signes qui les représentent.

Les dessins sont traités par l'hémisphère droit de manière analogique, c'est-à-dire par comparaison des ensembles perçus avec des ensembles de même type qu'il a stockés dans sa mémoire.

Les signes graphiques sont traités par l'hémisphère gauche de manière analytique. Cela signifie que le travail s'opère en partant des éléments les plus simples qui composent la langue orale pour les relier à ceux de la langue écrite. Ce type de traitement de l'information est parfaitement adapté à la nature même du langage : la parole et l'écriture ont une structure linéaire. Les sons dans un mot sont prononcés les uns après les autres et, dans l'écriture, les lettres sont également tracées les unes après les autres.

Assimiler le mot à une image que le cerveau pourrait photographier et reconnaître sans passer par l'analyse des éléments qui le composent, c'est faire preuve aujourd'hui d'une méconnaissance totale des mécanismes cérébraux mis en jeu dans le traitement du langage écrit.

L'approche globale de la lecture n'existe pas

Les travaux de Sperry ont été largement confirmés par des études (en particulier grâce à l'IRMf) qui montrent que toute approche globale de la lecture est impossible. En effet, quels que soient le type de langue et le niveau d'automatisation de la lecture, c'est dans tous les cas l'hémisphère gauche qui assume la fonction de lecture[1]. Or, celui-ci n'a pas la possibilité de réaliser un traitement global de l'information. Il est contraint par sa structure propre à travailler de manière analytique.

Nous citerons sur cette question des travaux très révélateurs concernant des observations réalisées auprès de Japonais victimes de lésions cérébrales qui lisaient, avant leur accident, deux systèmes d'écriture employés au Japon : le kana, code alphabétique, et le kanji, code idéogrammique. Lorsque ces sujets sont victimes de lésions de l'hémisphère droit, ils sont capables de lire aussi facilement le kana que le kanji. Cela prouve que leur hémisphère droit n'intervient ni dans la lecture des mots ni dans celles des idéogrammes. Par contre, si les lésions se situent dans l'hémisphère gauche, on assiste à une dissociation des capacités de lecture, qui confirme entièrement les travaux de Sperry. Ces sujets sont incapables de lire le kana. En ce qui concerne le kanji, ils parviennent à lire une variété particulière d'idéogrammes : les pictogrammes. Ce sont des dessins qui reproduisent l'objet qu'ils désignent. Ils sont donc pris en charge, à ce titre, par l'hémisphère droit qui les traite de manière analogique. En revanche, ces sujets ne peuvent lire aucun idéogramme. Par exemple, ils reconnaissent le pictogramme « arbre », qui est représenté par le dessin d'un sapin, mais lorsqu'on leur montre trois arbres réunis qui signifient « forêt » en kanji, ils « lisent » : « arbre », « arbre », « arbre ». Ils reconnaissent donc l'image de l'arbre avec leur hémisphère droit mais ne sont pas capables de passer au concept « forêt », qui n'est pas une reconnaissance d'images mais un acte de lecture que leur hémisphère gauche n'est plus apte à réaliser. Ces travaux prouvent clairement que les idéogrammes, comme les lettres des systèmes alphabétiques, sont lus de manière analytique, uniquement par l'hémisphère gauche.

Des travaux réalisés en IRMf en 2003, 2004 et au début de 2005 montrent sans ambiguïté que les dyslexiques présentent des disper-

---

1. Ceux qui disposent d'informations sur cette question, et sont familiers de la notion de voie d'accès direct à la lecture par reconnaissance de la forme orthographique du mot, doivent savoir que ce travail, exercé par l'hémisphère gauche, se réalise après identification de la forme graphique de chaque élément du mot et ne peut, en aucune façon, servir à justifier une approche globale de la lecture. Voir, du même auteur, *Apports des neurosciences et pédagogie du langage écrit*, Fransya, 2005, p. 21-24.

sions anormales de leurs aires du langage dans les deux hémisphères. C'est très vraisemblablement cette anomalie anatomique qui est à l'origine de leurs difficultés. Une rééducation phonologique intensive et prolongée modifie l'anatomie de leur cerveau en faisant disparaître les centres du langage égarés dans l'hémisphère droit (ou en en atténuant très nettement l'intervention) et redonne ainsi toute sa priorité à l'hémisphère gauche. Le rétablissement du fonctionnement analytique de l'hémisphère gauche et l'extinction de l'intervention de l'hémisphère droit dans la lecture effacent les signes caractéristiques de la dyslexie chez les enfants qui bénéficient de cet entraînement.

Ces découvertes sont d'une importance capitale parce qu'elles permettent de penser que si tous les enfants étaient soumis à un apprentissage phonologique systématique, ils parviendraient tous à lire et écrire, qu'ils soient ou non dyslexiques.

Enfin, ces observations montrent clairement que **l'apprentissage a des conséquences visibles sur l'anatomie du cerveau.** D'autres enregistrements en IRMf, réalisés chez des violonistes virtuoses, apportent aussi la preuve que l'entraînement modifie, chez eux, la surface des aires correspondant à la motricité de la main gauche. De même que le sport agit sur la morphologie du corps, l'apprentissage détermine la surface des aires cérébrales et la structure des réseaux qui les relient. **On mesure ainsi l'ampleur de la responsabilité des choix pédagogiques puisque ceux-ci ont des répercussions sur l'anatomie du cerveau et les connexions qui s'établissent entre les neurones.** En raison du rôle capital que le développement et la maîtrise du langage oral et écrit jouent dans l'élaboration et l'expression de la pensée conceptuelle, on comprend l'importance que les techniques d'apprentissage occupent dans le développement de l'intelligence. Nous sommes loin d'une querelle entre anciens et modernes à laquelle les tenants des pédagogies nouvelles veulent réduire ce débat. Nous nous trouvons, au contraire, au cœur d'un sujet fondamental dont dépend l'avenir intellectuel des enfants.

L'apprentissage de la lecture et de l'écriture nécessite la connaissance du code alphabétique de la langue

Incapable de reconnaître le mot dans son ensemble, le cerveau est dans l'obligation de passer par la voie analytique, qui le conduit du plus simple au plus complexe. Le travail effectué par le cerveau pour aboutir à la compréhension du sens de l'écrit intervient à deux niveaux, dont les fonctions, bien que séparées, sont totalement indissociables les unes des autres.

De très nombreuses structures cérébrales de l'hémisphère gauche constituant le module phonologique du cerveau interviennent pour découvrir à quel équivalent sonore correspond chaque signe graphique. Sur le plan visuel, ce travail est mené de proche en proche grâce aux saccades oculaires qui permettent de centrer la partie la plus sensible de l'œil, la fovéa, sur les formes graphiques qui, pour être différenciées les unes des autres, doivent être vues avec une grande précision. **Contrairement à ce qui est trop souvent affirmé, la fovéa ne peut analyser et transmettre au cerveau qu'une à trois lettres dans la même pause visuelle.** Pendant que s'effectue ce travail, les structures du module phonologique cherchent la correspondance entre les signes qui leur parviennent et les équivalences entre graphèmes et phonèmes dont elles disposent dans leur mémoire. En même temps, d'autres formations cérébrales, qui constituent le module supérieur du cerveau, utilisent les informations que le module phonologique leur transmet et procèdent à des essais d'assemblage jusqu'à ce qu'elles leur trouvent des équivalences dont elles ont stocké en mémoire la signification. Les neurones des aires cérébrales qui composent les deux modules du cerveau sont reliés dans des circuits interconnectés et réunis en réseaux, de sorte que le travail de chaque neurone bénéficie à l'ensemble des structures de ces réseaux.

Toutes les informations sont donc traitées simultanément et sont indissociables les unes des autres. Le module supérieur ne peut exercer son travail dans de bonnes conditions que s'il reçoit des informations exactes du module phonologique. La qualité, la rapidité et la compréhension de la lecture dépendent ainsi directement de celles du travail exécuté par le module phonologique.

Les études pratiquées en IRMf montrent que les processus de lecture sont semblables chez le débutant et chez le lecteur confirmé. Seule diffère entre eux la rapidité de traitement de l'information.

À noter

> Cette prise de conscience de la nature analytique de la lecture à tous les stades de son évolution est un élément fondamental car il démontre que, quel que soit le mode d'apprentissage choisi pour apprendre à lire, le cerveau ne peut y parvenir que s'il réussit à maîtriser de manière parfaite le code alphabétique de sa langue.

Le code alphabétique doit être appris de manière explicite

Il existe deux procédés pédagogiques diamétralement opposés pour parvenir à ce résultat, et c'est là que réside toute la différence entre les méthodes d'apprentissage de la lecture : l'apprentissage explicite et l'apprentissage implicite du code.

L'apprentissage explicite

Aussi ancien que l'écriture, l'apprentissage explicite découle de la constatation que la structure du langage est linéaire.

La langue écrite est formée de signes graphiques qui reproduisent de manière linéaire des sons émis de manière successive. Il paraît donc logique de commencer par apprendre l'équivalence entre les sons constitutifs de la langue et leur traduction graphique, puis les règles de leurs diverses combinaisons. **L'apprentissage explicite part donc du plus simple (dans nos langues alphabétiques, les lettres) pour aller vers le plus complexe (les assemblages de**

lettres, les mots, les phrases, les textes). Le bon sens a suggéré cette démarche qui a été appliquée en France, avec succès, jusqu'aux années 1970.

L'apprentissage implicite

L'apprentissage implicite suit le chemin strictement inverse. Le but recherché est d'« éviter la lecture syllabique » et de « donner la priorité au sens ». Il fournit à l'apprenti lecteur des phrases construites avec des mots qu'il est censé mémoriser pour en « reconnaître la forme » ou « la silhouette » quand il les rencontrera de nouveau. **Les méthodes d'apprentissage implicite contraignent l'enfant à découvrir par lui-même, à partir des éléments qu'il entend et voit, les correspondances entre phonèmes et graphèmes en se repérant grâce à des « indices » qu'il doit identifier peu à peu.** Cette technique a pour but de faire en sorte que l'enfant « construise lui-même son savoir ». Selon les tenants de cette pédagogie, la connaissance ne doit ni être transmise, ni imposée. Chacun doit « se l'approprier » et l'acquérir à son rythme sans être enfermé dans une série de contraintes artificielles.

Nous n'aborderons pas ici les thèses sur lesquelles s'appuie cette conception de la pédagogie. Le seul point qui importe est que **ces techniques d'apprentissage sont entièrement contredites par les lois du fonctionnement cérébral : les neurones ne savent pas « photographier » les mots et ne peuvent en retenir ni la « forme » ni la « silhouette ».** Dès qu'ils sont mis en présence de signes graphiques identifiés comme des vecteurs d'informations sonores, ils commencent immédiatement leurs recherches pour établir des correspondances entre sons et graphèmes.

Sans aide à ce niveau, l'enfant est condamné à découvrir petit à petit à quel son correspond tel signe. Par exemple, s'il voit et entend lire « lapin » et « cheval », il prend conscience – s'il ne présente aucune difficulté de discrimination des sons – du fait qu'il existe au début du premier mot un son identique à celui qui termine le second : le « l ». Il en déduit que le signe par lequel débute « lapin » et finit

« cheval » correspond à ce son. Il a ainsi découvert le phonème « l ». Il perçoit également un « a » en deuxième position et ce même son avant le « l » final du mot « cheval ». Il comprend la signification sonore du « a ». De même, s'il voit « cheval » et « vache » il comprend que les signes réunis « che » doivent correspondre au son « che ». Mais s'il rencontre ensuite « chat », comment va-t-il raisonner ? Dans ce mot, la forme « che » n'existe pas. Il ne pourra lire correctement « chat » que lorsqu'il aura compris que le son « ch » ne contient pas de « e » mais uniquement les signes « ch ». Quand au « t » final, s'il s'agit d'un phonème qu'il a identifié, il le prononcera comme il le ferrait dans « tartine ». Pourtant il entend le maître lire « cha » et non « chatte ». L'énigme restera entière sur la présence de ce « t » tant qu'il ne saura pas que certains mots sont porteurs de lettres finales qui ne se prononcent pas mais sont des marques orthographiques qui dépendent des caractéristiques lexicales ou grammaticales de la langue écrite.

On mesure la complexité d'une telle démarche, en particulier quand il faudra identifier des lettres phonologiquement proches (f/v/s/ ss/z, b/d) ou symétriques dans leur forme les unes par rapport aux autres (b/d/p/q, n/u et donc an/au, ou/on, etc.) ! Les enfants qui n'ont aucune difficulté au niveau de la discrimination des sons, de la reconnaissance et de l'orientation des formes, parviennent, au prix d'efforts importants, à découvrir le code alphabétique ou à établir assez de correspondances pour pouvoir inventer ce qu'ils ne parviennent pas à lire vraiment. Pour un petit nombre d'élèves, la lecture est de bonne qualité et on ne peut qu'être admiratif devant la performance accomplie par leur cerveau pour réussir à lire, « malgré » tous les obstacles qu'on lui a tendus !

Pour accéder à la maîtrise du code alphabétique de manière implicite, l'apprenti lecteur doit réunir trois conditions fondamentales :

- **La capacité de bien discriminer les uns des autres les phonèmes de la langue**, en particulier ceux qui sont proches (exemple : f/v, ch/ss/z, p/b/d, etc.). Nous verrons dans le prochain chapitre que de nombreux enfants en âge d'apprendre à lire ne peuvent y parvenir.

- **La possibilité de bien identifier la forme des lettres et de les orienter correctement dans l'espace**. Là encore, un pourcentage élevé d'enfants n'y parvient pas entre cinq et six ans.
- **La faculté de découvrir les lois du système combinatoire**, qui permet de relier les graphèmes aux phonèmes qui les représentent dans leurs différentes combinaisons possibles (par exemple : o/au/eau/aux/eaux), ce qui inclut la prise de conscience de l'association de lettres différentes pour constituer un même phonème, et la raison d'être des lettres muettes placées à l'intérieur ou à la fin des mots (s/t/d/ent).

Un pourcentage important d'enfants de grande section de maternelle et de CP présente une ou plusieurs perturbations dans ces différents domaines. On mesure quelle peut être l'ampleur de leurs difficultés et leur angoisse lorsqu'ils sont confrontés à ces méthodes auxquelles ils sont incapables de s'adapter. L'enfant entre alors dans la spirale infernale de l'échec. Sa lecture est constellée d'erreurs, de confusions portant sur tout le mot ou seulement sur une de ses parties. Il introduit des mots qui n'appartiennent pas au texte, ou des synonymes quand il a perçu une partie du sens. Même s'il lit quelques mots, il est incapable de comprendre ce qu'il lit. Quant à l'orthographe, qu'il s'agisse des bons ou des mauvais lecteurs, les conséquences de la méthode d'apprentissage implicite du code alphabétique, en créant des défauts de structuration des circuits cérébraux, constituent un handicap que la plupart des élèves ne parviennent pas à surmonter.

Les défenseurs de l'apprentissage implicite s'appuient sur la constatation que les enfants ont été en contact avec l'écrit bien avant d'entrer à l'école. Ils ont donc déjà été confrontés à la découverte du sens d'un mot sans qu'on leur apprenne les éléments qui le composent. Cela est exact et c'est bien justement pour cette raison qu'il faut être particulièrement vigilant à l'école ! Les « enfants à risques », présentant les difficultés précédemment mentionnées, ont déjà acquis des connaissances erronées dans les liaisons entre sons et graphismes. Le premier devoir de l'école est de mettre fin à ces erreurs et non de les amplifier.

De très nombreuses études comparant les résultats obtenus avec l'apprentissage explicite du code et avec son apprentissage implicite apportent des conclusions sans aucune équivoque : les élèves qui bénéficient d'un apprentissage explicite du code alphabétique sont plus performants que les autres dans la lecture, la compréhension des textes, l'écriture et l'orthographe. Cette supériorité est durable dans tout le cursus primaire.

La nécessité d'un apprentissage explicite du code alphabétique justifie pleinement les conseils qui seront donnés dans les chapitres ultérieurs, concernant la nécessité d'une pratique précoce d'exercices destinés à obtenir une bonne prononciation de la langue orale, une bonne discrimination des phonèmes qui la composent, ainsi que la capacité d'identifier les détails qui permettent de bien reconnaître les formes et de bien les orienter dans l'espace. L'importance des mesures éducatives en ce domaine est capitale pour faciliter l'apprentissage de la lecture et de l'écriture. Doit s'y associer, bien évidemment, un enrichissement permanent du vocabulaire – point sur lequel nous reviendrons ultérieurement – pour que le module supérieur du cerveau dispose du plus grand nombre possible de mots dont il doit stocker la signification dans sa mémoire.

L'apprentissage conjoint de la lecture et de l'écriture est une nécessité

Lire et écrire sont deux actions qui répondent à la même nécessité : lier la parole aux signes graphiques qui la représentent. C'est la raison pour laquelle **il est indispensable d'apprendre en même temps à réaliser la traduction des signes graphiques en sons (lecture) et la transposition de la parole en signes graphiques (écriture)**.

Il est regrettable de constater que depuis de nombreuses années, il est demandé aux enfants de reproduire des éléments graphiques complexes (écrire leur prénom, copier des mots ou des phrases) sans avoir auparavant appris à former les éléments de base qui se retrouvent dans ces mots. Le mot n'est pas assimilable à une image dans la lecture, il ne l'est pas à un dessin dans l'écriture. La technique d'apprentissage de la graphie des lettres doit, elle aussi, répondre aux exigences du fonctionnement cérébral. Il est indispensable d'apprendre à l'enfant à réaliser des formes simples qui entreront dans l'écriture des lettres, où, en plus de la reproduction et de l'orientation des éléments graphiques, intervient la notion de proportion à respecter entre les différents segments des lettres.

Ces quelques éléments montrent pourquoi la maîtrise du code phonologique, atteinte par des procédés explicites, et l'entraînement au graphisme sont indispensables pour faciliter l'apprentissage de la langue orale et écrite. Elles permettent de comprendre l'importance du rôle des parents dans cet apprentissage.

À noter

Si l'enfant a acquis une bonne maîtrise de tous les éléments sonores et graphiques qui entrent dans la compréhension de la langue orale, et ensuite écrite, il se trouvera dans des conditions optimales pour aborder l'apprentissage ultérieur de la lecture et de l'écriture.

CHAPITRE 2

LE DÉVELOPPEMENT DU LANGAGE ORAL CHEZ L'ENFANT

Au programme

- Les étapes du développement du langage
- Le retard d'acquisition du langage
- Les pathologies de l'acquisition du langage oral
- Le bilinguisme

Les étapes du développement du langage

L'homme est le seul être vivant à avoir accès au langage. Cette aptitude innée nécessite la présence de structures cérébrales qui se développent différemment selon les stimulations auxquelles elles sont soumises. L'environnement familial et les conditions d'apprentissage permettent aux aptitudes génétiques propres à chaque sujet de s'exercer plus ou moins efficacement. Les premières années de la vie sont déterminantes en ce domaine. À partir d'un cerveau vierge de toute empreinte environnementale, les neurones peuvent s'adapter à toutes les langues. Les structures anatomiques sont identiques chez tous les humains, ce qui ne veut pas dire qu'elles soient toutes capables des mêmes performances, mais les neurones qui les composent disposent tous d'un espace de liberté qui les rend perméables à l'éducation.

La qualité du langage dépend donc, chez un individu, à la fois de l'ensemble de ses facteurs génétiques propres et de la stimulation qu'exerce sur lui son environnement.

L'acquisition de la parole

L'apprentissage de la langue orale débute dès la naissance. Pendant la gestation, les bruits parviennent au fœtus atténués par le liquide amniotique et les parois maternelles qui le protègent. Dès son entrée dans le monde extérieur, l'enfant se trouve immergé dans un univers sonore qui représente pour lui une véritable cacophonie dont il lui faudra peu à peu découvrir la signification. Le fait de disposer de manière innée d'une capacité d'adaptation au langage ne signifie pas pour autant que son apprentissage soit simple.

Des études réalisées sur des nouveau-nés ont prouvé que ceux-ci sont très rapidement capables d'identifier les voyelles de leur langue. Au fur et à mesure qu'ils les perçoivent, ils tentent de les reproduire. Avec le cri et les pleurs, la vocalisation est le premier mode d'expression de l'enfant. Peu à peu, il va parvenir à isoler, dans le discours qui l'entoure, des syllabes qui reviennent très fréquemment et il va leur associer un sens. L'enfant émet d'abord de manière répétitive les sons qu'il identifie bien (papa, mama, tata). On aboutit ainsi à l'élaboration des premiers mots. L'apparition du verbe signe celle de la phrase. Il est au cœur du discours (donne, veux, veux pas) et rapidement associé à un second verbe (veux manger, veux boire, veux jouer, veux sortir). Le langage va ensuite s'étoffer grâce à l'apparition de mots constitués de syllabes différentes. Au fur et à mesure de l'évolution, le langage oral va se structurer, et d'autres types de mots vont apparaître, que le cerveau de l'enfant va apprendre à classer par catégories.

Les différents groupes de langages

Les exigences de perception des sons de la langue ne sont pas identiques dans tous les types de langages. Il existe en effet deux grands groupes d'expression linguistique.

Les langues idéogrammiques

Elles traduisent la parole par des signes graphiques de deux natures différentes. Certains signes sont des dessins représentant l'objet qu'ils désignent : ce sont des pictogrammes. Les autres sont des éléments graphiques symboliques qui se rattachent à un mot, un groupe de mots ou un concept : ce sont les idéogrammes. Dans le langage oral, les mots peuvent être composés d'un ou plusieurs sons, mais ces sons en eux-mêmes n'ont pas de reproduction graphique. Seul le mot pris dans son ensemble a une correspondance graphique.

Les langues phonogrammiques alphabétiques

Les langues phonogrammiques sont nées de la prise de conscience du fait que chaque mot est constitué de sons qui se retrouvent dans d'autres mots : les syllabes. Celles-ci sont prononcées en une seule émission sonore, par exemple : « chat ». Puis l'évolution du langage a fait découvrir que les syllabes elles-mêmes pouvaient contenir plusieurs sons nommés phonèmes. Ainsi, le mot « papa », qui contient deux syllabes, comporte quatre phonèmes : « p », « a », « p » et « a » ; le mot « lapin » comprend deux syllabes et quatre phonèmes « l », « a », « p », « in ».

La maîtrise orale et écrite des langues alphabétiques, dont le français fait partie, nécessite de savoir identifier dans la syllabe chacun des phonèmes qui la composent.

L'aptitude à identifier les phonèmes, maximale pendant les premières années, s'atténue assez rapidement. De nombreuses études ont prouvé que 40 % des enfants n'ont pas acquis la capacité de discriminer correctement les phonèmes vers l'âge de cinq ans et demi. À cet âge, ils ne pourront plus y parvenir sans aide. Cette situation est d'autant plus préoccupante que de très nombreux travaux montrent que tout enfant qui ne parvient pas à discriminer correctement les phonèmes de sa langue vers cet âge est un sujet à haut risque vis-à-vis de l'apprentissage de la lecture et de l'écriture. Nous verrons pourquoi ultérieurement. **Contrairement** à l'acquisition du vocabulaire, étroitement liée aux facteurs d'environnement, la discrimination des phonèmes est le résultat d'une aptitude génétique indépendante de l'environnement socio-familial de l'enfant.

Plus une langue alphabétique présente un écart important entre le nombre de phonèmes qui la composent et le nombre de graphèmes qui représentent ces sons par écrit, plus elle est difficile à maîtriser. Avec 35 phonèmes pour 190 graphèmes, le français est complexe sur le plan phonologique, mais ce n'est rien à côté de l'anglais, qui dispose de 40 phonèmes transcrits par 1 120 graphèmes, alors que l'italien traduit ses 25 phonèmes par 33 graphèmes. Ce n'est pas un hasard si la dyslexie a été découverte par un Anglais !

Nous nous contenterons d'aborder les problèmes de notre langue. Quelques exemples suffisent à mesurer les difficultés que l'enfant rencontre. Beaucoup de nos phonèmes ne sont séparés que par des nuances sonores difficiles à percevoir. C'est le cas, par exemple, du « b » et du « d », du « p » et du « t », du « f » et du « v », du « ss » et du « z », du « j » et du « ch ». La différenciation des phonèmes ne se fait pas au niveau de l'oreille mais du cerveau. Les enfants qui ne parviennent pas à séparer clairement ces sons les uns des autres, quel que puisse être leur degré d'intelligence, sont condamnés à rencontrer de sérieuses difficultés lorsqu'il leur faudra apprendre à lier les sons aux signes qui les représentent. **La reconnaissance des unités phonologiques de la langue doit donc être une des priorités éducatives de la première enfance.**

Vous trouverez au chapitre 3 les indications pratiques qui permettront à votre enfant de bien réussir cet apprentissage.

Le retard d'acquisition du langage

Les difficultés d'identification des phonèmes se traduisent par des retards dans l'apparition de la parole et dans son développement. Il faut savoir les identifier, et surtout les prévenir par des mesures éducatives faciles à réaliser dans le cadre de la vie familiale.

Il n'y a pas d'âge précis pour caractériser un retard d'acquisition du langage car il existe en ce domaine, comme dans bien d'autres, de grandes différences individuelles. Certains enfants mettent plus de temps que d'autres pour passer de la vocalisation initiale à la parole. Cependant, **lorsqu'un enfant de trois ans n'utilise qu'un nombre très réduit de mots et les assemble mal, la probabilité d'un retard de langage est très forte.**

Cette anomalie touche beaucoup plus fréquemment les garçons que les filles. Une des explications à ce phénomène est que les facteurs génétiques jouent un rôle important dans la mise en place des neurones dans le cerveau de l'embryon. Nous retrouverons ce phénomène lorsque nous envisagerons le problème de la dyslexie, que nous ne traiterons pas ici parce qu'elle fait partie des troubles du langage écrit (lecture, écriture, orthographe). Il faut simplement retenir qu'un retard d'apparition de la parole chez un enfant dont le développement est par ailleurs harmonieux est souvent un signe qui annonce de futures difficultés dans l'apprentissage de la langue écrite.

Un autre aspect du retard d'acquisition du langage oral consiste en **une incapacité persistante chez l'enfant à reproduire correctement les mots entendus.** L'émission de mots déformés est, en général, due au fait que l'enfant discerne mal les sons qui les composent. Elle est très révélatrice d'une difficulté de discrimination des phonèmes. Il est normal qu'un enfant de trois ans présente encore des difficultés de prononciation, mais celles-ci doivent être limitées et disparaître assez rapidement lorsqu'on prend soin de les corriger par des mesures simples que nous décrirons ci-dessous.

Les pathologies de l'acquisition du langage oral

À côté de ces troubles mineurs et réversibles existent bien évidemment les grandes pathologies qui rendent l'acquisition du langage très difficile, voire impossible. Nous mentionnerons ici les principales. Bien que leur traitement nécessite des mesures spécialisées, les parents peuvent jouer, là aussi, un rôle majeur dans l'évolution de leur enfant en lui offrant des moyens d'apprentissage complémentaires adaptés à son cas particulier.

La surdité

Il existe deux groupes différents de surdités :

- **La surdité congénitale**. L'attention est en général attirée par le fait que l'enfant manifeste de l'intérêt pour son entourage mais ne réagit ni au bruit ni à la prononciation de son prénom. La vocalisation n'apparaît pas. Cette absence totale de perception des sons, d'origine congénitale, est heureusement rare car elle est difficile à rééduquer. Elle doit cependant être dépistée rapidement pour que soient mises en œuvre le plus tôt possible des mesures d'aide adaptée, afin que l'enfant sourd puisse acquérir un mode de langage substitutif qui lui permette de communiquer avec autrui.

- **Les surdités acquises**. Bien plus fréquentes que les précédentes, elles sont le plus souvent partielles et liées à un obstacle qui empêche la propagation du son dans l'oreille moyenne. C'est le cas des déficits auditifs secondaires à des épanchements d'origine infectieuse. Les otites récidivantes peuvent laisser dans l'oreille moyenne un liquide plus ou moins compact qui fait obstacle à la propagation du son et peut même altérer le fonctionnement des osselets qui transmettent les vibrations sonores à l'oreille interne. Pour éliminer le risque de surdité grave, on place dans l'oreille des drains qui permettent l'écoulement du liquide.

Certaines otites de ce type sont difficiles à diagnostiquer, surtout chez le très jeune enfant. Elles doivent être systématiquement recherchées lors de l'examen médical d'un enfant atteint d'une infection portant sur l'appareil respiratoire supérieur, mais elles accompagnent parfois d'autres pathologies et peuvent se manifester par des signes atypiques (par exemple des diarrhées et des douleurs abdominales). Les otites de l'oreille moyenne peuvent d'autant plus facilement passer à la chronicité qu'elles sont souvent bien tolérées par l'enfant.

La surdité qu'elles entraînent peut n'être que partielle et bien compensée par l'autre oreille. Cependant, la perception auditive est souvent suffisamment altérée pour que la mise en place du langage en soit perturbée. Devant tout retard de langage chez le jeune enfant, il faut donc penser à la possibilité qu'il souffre d'une otite moyenne chronique non diagnostiquée, et consulter un spécialiste pour faire pratiquer un audiogramme.

Les déficits intellectuels

Les enfants atteints de déficits intellectuels graves présentent un retard de langage dont l'importance varie avec la nature et la sévérité de leur handicap. Nous n'en détaillerons pas ici les causes, qui vont de l'infirmité motrice cérébrale aux différentes formes d'anomalies chromosomiques. En dehors des cas où aucun apprentissage n'est possible, il existe un très grand nombre d'enfants victimes de handicaps intellectuels légers ou moyens[1] qui peuvent progresser et accéder au langage, y compris à la lecture et à l'écriture, lorsqu'on utilise pour eux des moyens pédagogiques efficaces et susceptibles d'être adaptés au rythme de leurs acquisitions. Là aussi, le rôle des parents est déterminant, par l'aide journalière qu'ils peuvent apporter à leur enfant.

L'autisme

L'autisme étant caractérisé par une difficulté majeure de communication, le langage est une des fonctions cognitives les plus touchées chez les enfants qui en sont atteints.

Le retard de langage chez l'autiste correspond beaucoup plus à une difficulté pour sortir de son univers qu'à une incapacité d'accès au langage. Là encore, les parents peuvent intervenir de manière très

1. Des précisions sur la mesure de l'intelligence seront apportées ultérieurement.

positive en associant leurs efforts aux mesures proposées dans le cadre de la prise en charge de cette pathologie complexe.

La dysphasie

La dysphasie est une anomalie neurologique sévère qui s'accompagne à la fois de **difficultés d'émission et d'articulation des mots,** pris individuellement et assemblés en phrases. Le dysphasique sait ce qu'il veut dire mais ne parvient pas à l'exprimer. Ce trouble grave de la parole est heureusement rare, même si à l'heure actuelle on emploie largement, et de manière totalement inadaptée, le terme de dysphasie pour des enfants qui présentent en réalité de simples difficultés d'apprentissage du langage[1]. Bien qu'elle soit très difficile à traiter, il est possible d'atténuer grandement la dysphasie avec des moyens pédagogiques que les parents peuvent mettre en œuvre dans le cadre familial, pour aider le travail effectué par les rééducateurs spécialisés.

Le bégaiement

Le bégaiement se caractérise par une incapacité plus ou moins importante à prononcer la première syllabe d'un mot, ou par la répétition de cette syllabe. Cette anomalie est souvent liée à plusieurs causes qui s'additionnent. À côté des facteurs psychoaffectifs qui sont générateurs d'angoisse et de manque de confiance en soi, on trouve dans le bégaiement une composante neurologique qui est accessible à la rééducation orthophonique. Celle-ci peut être associée à des mesures simples, appliquées par les parents, identiques à celles qui permettent d'éviter ou de traiter les retards d'acquisition du langage.

---

1. En ce qui me concerne, j'ai dû en voir moins de dix cas en trente ans de vie professionnelle !

Le bilinguisme

Nous terminerons ce chapitre sur l'apprentissage de la langue orale par quelques remarques concernant le bilinguisme et l'apprentissage précoce d'une langue étrangère.

Le bilinguisme vrai

Nombre de parents pensent que le bilinguisme est un avantage considérable pour l'enfant. Le problème n'est pas aussi simple qu'il y paraît.

L'acquisition d'une langue orale dans les systèmes alphabétiques est liée à la qualité de la discrimination des phonèmes qui la composent.

Lorsque l'enfant vit en permanence dans un milieu bilingue, la discrimination des phonèmes dans les premiers mois et années de la vie se met en place pour les deux langues dans lesquelles il est immergé, et le cerveau devient capable d'assembler ces phonèmes et de se construire un répertoire de mots dans chacune d'elles. Lorsque l'enfant parle, il choisit les mots en fonction de la langue utilisée. Pour que cet avantage persiste, le bilinguisme doit être pratiqué systématiquement chaque jour dans le milieu environnant.

Le bilinguisme n'est cependant pas toujours une réussite. Chez les enfants porteurs de perturbations qui se manifesteront plus tard sous forme de difficultés d'apprentissage de l'écrit, l'apprentissage synchrone de deux langues est une difficulté majeure, surtout lorsqu'il s'agit du français et de l'anglais, dont les composantes phonologiques sont très différentes. Mais on ne peut savoir, à l'âge de cet apprentissage, dans quel groupe se situera l'enfant. **Si on constate un retard ou des difficultés d'acquisition de la parole, il est prudent de réduire l'apprentissage à une seule langue.** Enfin, il faut dans tous les cas veiller à ce que le bilinguisme ne conduise pas à une pauvreté du vocabulaire dans chacune des langues parlées.

L'apprentissage précoce d'une langue étrangère à l'école

Le problème est ici totalement différent. La pratique d'une langue étrangère, étudiée à l'école, ne peut être qu'épisodique. En raison de la diminution rapide de la capacité de discrimination des sons dans les premières années de la vie, l'apprentissage précoce d'une seconde langue ne permettra pas d'obtenir sur le plan phonologique de meilleurs résultats que si cette seconde langue est abordée plus tardivement. D'autre part, l'apprentissage d'un deuxième système phonologique chez un enfant qui ne maîtrise pas bien celui de sa langue maternelle constitue un obstacle très difficile à surmonter pour les 40 % d'enfants qui se trouvent dans cette situation en grande section de maternelle ou en CP. Aux difficultés rencontrées dans leur propre langue s'ajoutent alors celles de la langue étrangère qu'on leur propose, tout particulièrement si celle-ci est l'anglais.

À noter

Quel que soit l'âge où l'on décide d'introduire l'apprentissage d'une seconde langue, la prudence conseille de pratiquer systématiquement un travail phonologique précis et intense dans les deux langues, afin d'éviter d'aggraver d'éventuelles difficultés.

Après avoir rappelé ces quelques notions fondamentales concernant l'apprentissage de la langue orale, nous pouvons maintenant proposer des moyens concrets destinés à faciliter, chez tous les enfants, l'acquisition de la maîtrise de ce mode d'expression essentiel.

CHAPITRE 3

FACILITER L'APPRENTISSAGE DU LANGAGE ORAL

Au programme

- Principes généraux
- Exercices pour faciliter l'apprentissage de la parole et en corriger les anomalies

En raison de l'importance que revêt la stimulation ambiante dans l'apprentissage de la langue orale durant les premières années de la vie, le rôle des parents, dans ce domaine comme dans tant d'autres, est déterminant, soit pour prévenir les troubles du langage, soit pour les résorber. Les principes généraux et les exercices que nous proposons ici sont destinés à atteindre ces deux objectifs.

Principes généraux

La nécessité des échanges verbaux avec l'enfant

Le cerveau dispose des capacités de mémorisation les plus importantes dans les premières années de la vie. La richesse du vocabulaire de l'enfant dépendra donc de la qualité des échanges qu'il pourra établir avec son entourage.

Dès la naissance, il faut instaurer avec l'enfant un contact verbal intense.

Au début, il ne comprend pas ce qui lui est dit, mais très vite, il parvient à associer les sons et les mots qu'il entend à des personnes ou des objets qui l'entourent. **Il comprend le sens des mots bien avant de pouvoir les prononcer.**

Bien évidemment, le discours évolue avec l'âge de l'enfant. Il ne faut pas le noyer sous un flot de paroles mais lui parler en fonction des occasions que génère la vie journalière. Les chansons, les histoires lues, les commentaires d'images sont d'excellents moyens pour développer la communication verbale. Elles permettent à l'enfant d'acquérir du vocabulaire, à condition que l'adulte réponde à toutes ses questions et lui explique les mots qu'il ne connaît pas. Les définitions des mots ne doivent pas être données systématiquement pendant la lecture – sauf si l'enfant l'interrompt pour poser une question –, afin de ne pas casser l'intérêt porté au texte. Elles doivent intervenir ultérieurement et ne porter que sur quelques mots à chaque fois.

À notre époque, malheureusement, les échanges verbaux se raréfient dans de très nombreuses familles. Les obligations de la vie matérielle font que beaucoup de parents négligent de réserver du temps pour se parler entre eux et pour parler avec leurs enfants. La situation est aggravée par le développement de la civilisation de l'image, qui caractérise les sociétés évoluées sur le plan technologique. Certes, il est hors de question de rejeter en bloc les ordinateurs, la télévision ou les jeux vidéo, mais il faut savoir en maîtriser l'usage – ce qui, il faut bien l'avouer, n'est pas toujours simple ! – pour **se réserver un temps de parole tout aussi utile aux adultes qu'aux enfants.**

Un point important mérite d'être souligné : la compréhension de l'image nécessite l'intervention de l'hémisphère droit du cerveau, alors que le langage est traité par l'hémisphère gauche. Les enfants actuels arrivent à l'âge de l'apprentissage de l'écrit avec une dominance hémisphérique droite plus importante que celle des générations précédentes.

Les exercices que nous proposons ici font travailler prioritairement l'hémisphère gauche. En dehors de leur intérêt propre – faciliter l'apprentissage du langage –, ils constituent donc une stimulation de cet hémisphère, qu'il sera plus facile de solliciter ensuite pour développer, le moment venu, l'apprentissage de la langue écrite.

La qualité des échanges verbaux avec l'enfant

Si parler avec l'enfant est indispensable, ce n'est pas pour autant suffisant. Encore faut-il que le langage utilisé respecte un certain nombre de critères de qualité.

Rythme de la parole et qualité de la prononciation

Le français est une langue phonologiquement complexe. Pour que l'enfant parvienne à percevoir tous les sons que contiennent les mots, **il est indispensable de ne pas parler trop vite et de bien prononcer tous les sons contenus dans chaque mot.**

On sait qu'en moyenne, un sujet peut identifier deux sons séparés de 30 millisecondes. Par contre, certains ont besoin d'un temps beaucoup plus long, de l'ordre de 300 millisecondes, pour parvenir au même résultat. Un rythme de parole trop rapide ne leur permet donc pas de prendre conscience de tous les sons présents dans les mots prononcés. Chez les sujets qui discriminent difficilement les sons, on a pu mettre en évidence, grâce aux modes d'exploration modernes du cerveau, en particulier l'IRMf, des anomalies organiques dans les aires cérébrales du langage et les circuits qui les relient. Les perturbations observées sont de nature génétique et d'importance très diverses. Il existe ainsi de multiples catégories de difficultés, qui vont d'un allongement très modéré de la durée nécessaire à l'identification de deux sons distincts, à une incapacité d'y parvenir dans un discours rapide.

Afin de mesurer les difficultés que l'enfant rencontre pour identifier les sons de sa langue, il suffit de penser à ce qu'on éprouve quand on maîtrise correctement une langue étrangère et qu'on se trouve pour la première fois immergé dans le pays qui la pratique. Malgré les connaissances dont on dispose, il est très difficile d'isoler les uns des autres les mots dans la chaîne sonore, et plus encore les phonèmes dans les mots. Il faut souvent plusieurs jours pour que le cerveau réussisse à « entendre » et à reconnaître les mots. Puis, peu à peu, la séparation de la phrase en unités sonores identifiables se réalise. Si l'interlocuteur ralentit le débit de sa parole et facilite la reconnaissance des mots en les prononçant plus distinctement, la situation s'améliore très vite et la compréhension du langage émis à une cadence plus rapide devient bientôt possible. C'est très exactement ce qui arrive au jeune enfant dans sa langue maternelle.

Les parents qui parlent très vite ou n'ont pas une bonne diction doivent donc faire les efforts nécessaires pour corriger leurs anomalies de langage afin que leur enfant ne se trouve pas dans une situation défavorable lors de l'apprentissage de sa langue maternelle.

Acquisition du vocabulaire

Pour que l'enfant puisse prononcer correctement les mots, il importe de les lui proposer sous leur forme normale. Il faut donner aux personnes, aux animaux et aux divers objets leur nom correct. Le développement du langage passe, lors des premiers stades de son évolution, par un redoublement d'une des syllabes du mot. Mais il ne s'agit là que d'une phase transitoire. Si à ce stade du redoublement des syllabes, l'enfant réclame son « pin-pin », vous devez

© Groupe Eyrolles

certes le lui donner, mais en aucun cas vous ne devez reprendre cette formulation. L'idéal est que vous répondiez : « Voici ton lapin. »

Acquisition des connaissances syntaxiques et grammaticales implicites

Pour comprendre le sens de la parole, il est indispensable d'identifier la fonction des mots dans la phrase. Les neurosciences nous ont appris que le cerveau de l'enfant met les mots de la langue orale en mémoire par catégories dans des aires cérébrales distinctes, dont un grand nombre sont maintenant identifiées. Par exemple, il regroupe dans des régions spécifiques les couleurs, les noms d'animaux, les noms de personnes. Il identifie et rassemble également les mots par fonctions grammaticales : il différencie les verbes, les noms, les adjectifs, etc. Il connaît aussi leur fonction : il sait par exemple que certains mots indiquent ce que l'on fait ou ce que l'on veut, d'autres précisent qui fait l'action, quelles en sont les caractéristiques, etc. Sans ces notions, le langage serait incompréhensible.

On conçoit, là encore, l'importance du modèle que le langage de l'adulte représente pour l'enfant. Dans une langue qui, comme le français, est construite autour d'une structure syntaxique et grammaticale complexe, il est particulièrement important de penser à la difficulté que ces acquisitions représentent pour l'enfant et de lui en faciliter l'accès par **l'emploi de phrases simples et courtes**.

L'entraînement au discours

Au fur et à mesure de ses progrès, l'enfant émet des phrases plus riches dont la syntaxe est souvent déficiente. Il serait très mal venu de corriger sans cesse les erreurs qu'il commet car il risquerait de cesser de parler par peur de devoir subir ce contrôle permanent. Par contre, il est nécessaire de corriger de temps en temps les principales erreurs pour lui permettre de progresser.

L'échange verbal avec l'enfant permet à celui-ci d'apprendre à formuler sa pensée de manière de plus en plus précise.

Quand l'enfant aura acquis une expression orale fluide, un nouveau cap devra être franchi : celui de l'énonciation claire des faits. Chacun sait que le jeune enfant expose souvent ce qu'il veut dire de manière confuse et sans respecter la chronologie des événements. Il est indispensable d'apprendre peu à peu à l'enfant à raconter des faits simples, à résumer une histoire qui lui a été lue ou un fait qui l'a frappé, en en présentant les points essentiels et en respectant l'ordre dans lequel ils se sont produits. C'est un exercice très difficile. Il faut demander à l'enfant de s'exprimer avec des phrases très courtes et l'aider à respecter l'ordre des faits. Ce travail, très important, développe les capacités d'analyse et de synthèse, qui constituent un des piliers essentiels de l'intelligence.

On peut conclure de l'ensemble de ces éléments que **l'apprentissage de la parole, et tout particulièrement de la capacité à discriminer les sons de la langue orale, doit donner lieu à un entraînement systématique chez tous les enfants.** Des études récentes effectuées sur cette question montrent que la pratique précoce de la discrimination des sons facilite considérablement l'apprentissage ultérieur de la langue écrite pour tous les enfants qui en bénéficient.

Après ces précisions indispensables, le temps est maintenant venu de proposer aux parents des techniques simples pour atteindre ces deux objectifs :

- Prévenir ou corriger des difficultés survenant dans l'apprentissage de la parole.
- Apprendre à discriminer les phonèmes de la langue orale.

Exercices pour faciliter l'apprentissage de la parole et en corriger les anomalies

Apprendre à écouter et à entendre

Avant de proposer à l'enfant d'écouter et de répéter des syllabes et des mots, la première étape à franchir est de lui faire prendre conscience du fait qu'il existe une grande variété de sons dont les mots font partie.

Ces premiers exercices peuvent être réalisés par des enfants très jeunes. Si l'enfant n'y participe pas avec plaisir, c'est qu'il n'est pas prêt pour ce genre d'activité. Il faut attendre et le lui proposer ultérieurement.

Faire écouter des bruits simples

Avant de faire répéter des sons, on commencera par un certain nombre d'exercices permettant simplement d'apprendre à écouter. De nombreuses techniques peuvent être utilisées pour parvenir à ce résultat.

Par exemple, on se tait et on écoute pendant quelques instants les bruits issus de l'environnement :

• le bruit de la rue (les différents bruits de la circulation) ;
• les bruits de la maison ;
• les bruits du jardin.

L'enfant doit ensuite décrire ce qu'il a entendu. Au début, très souvent, l'enfant n'entend rien. Il ne sait pas se concentrer pour écouter. On peut l'y aider en lui bandant les yeux pendant qu'il écoute les bruits qui se produisent autour de lui.

Faire écouter des sons variés

Les possibilités de choix sont multiples. On peut imaginer de proposer de nombreux sons d'origines très différentes : cloche, sonnette, tambourin, cris d'animaux – en faisant varier leur intensité et leur rythme.

Il est très utile de faire écouter à l'enfant des notes de musique à partir de la voix humaine ou d'instruments dont on dispose. L'enfant découvre peu à peu que les sons diffèrent par leur sonorité, leur hauteur, leur intensité. L'usage d'instruments simples comme le xylophone est très adapté à ce travail. Bien évidemment, tous les instruments de musique sont utilisables, et l'écoute des sons musicaux simples ainsi que la reconnaissance du son des instruments sont d'excellents moyens pour approcher la culture musicale quand les parents ont eux-mêmes des connaissances en ce domaine.

Faire varier et reproduire des rythmes

La meilleure manière de procéder pour faciliter la prise de conscience des rythmes est de frapper dans les mains ou sur un tambourin, en employant des séquences rythmiques variables. L'enfant reproduit les rythmes entendus en frappant également dans ses mains, sur sa table ou en utilisant lui aussi un tambourin.

À un stade plus évolué, on peut convertir les rythmes entendus en séquences graphiques. Par exemple : demander à l'enfant de dessiner un trait vertical quand il entend un seul son, de tracer deux traits verticaux l'un à côté de l'autre lorsqu'il entend deux sons, etc.

Faire écouter et reproduire de petites chansons

Les possibilités sont ici multiples et chacun peut effectuer ses choix en fonction de ses goûts et de ses connaissances.

Apprendre à écouter et à reproduire les sons de la langue orale

Cette étape est bien évidemment le but de l'apprentissage de la langue orale, mais il est impossible de définir avec précision à quel âge cet entraînement peut être entrepris. Tout dépend des aptitudes de l'enfant en ce domaine. **D'une manière générale, cette activité peut être tentée vers l'âge de trois ans.** Mais si l'enfant n'y participe pas avec plaisir, il faut savoir attendre le moment opportun.

Cette capacité à reproduire les sons de la langue orale doit être parfaitement acquise avant de passer au dernier stade du travail phonologique, qui s'achèvera par la reconnaissance des éléments sonores constitutifs du mot. C'est pourquoi nous insistons beaucoup sur cet aspect du travail de la langue qui aboutit à la capacité de prononcer correctement les mots qui la composent. Exécuté cinq à dix minutes par jour, il permet, en général, de prévenir ou de corriger les retards de langage ou les difficultés d'articulation verbale.

Avant d'entreprendre les exercices présentés ci-après, quelques conseils sont indispensables.

Comment prononcer les sons

Par exemple pour « l », le son n'est ni « elle » ni « le » mais « l » tout seul, comme vous l'entendez dans « lapin ». C'est une présentation de la lettre avec laquelle il faut se familiariser car elle est essentielle pour permettre ensuite un apprentissage correct de la lecture et de l'écriture. Pour certaines syllabes, vous trouverez entre parenthèses et en italique la manière de les prononcer.

Il est très important de comprendre qu'en dehors des voyelles, le son d'une lettre est différent du nom qu'on lui attribue dans l'alphabet. Vous devez uniquement prononcer le son de la lettre.

L'enfant ne parvient pas à répéter correctement le son

Montrez-lui comment il doit opérer pour articuler ce son. Vous trouverez les indications nécessaires dans l'étude de chaque son.

Ne passez au son suivant que lorsque l'enfant est capable de répéter correctement toutes les syllabes proposées.

Le rythme de travail

Travaillez cinq à dix minutes par jour, jamais plus, car ces exercices sont très difficiles pour les enfants qui présentent des retards d'acquisition du langage ou des difficultés de prononciation. L'objectif n'est pas d'aller vite mais d'obtenir un bon résultat. **Il ne faut** surtout pas imposer cette activité à un enfant qui s'y oppose mais savoir attendre et la lui proposer à nouveau quelques semaines plus tard.

Lorsqu'un son aura été appris, vous devrez veiller à ce qu'il soit correctement utilisé dans le langage courant de l'enfant. Si celui-ci commet une erreur sur un son déjà travaillé, il faut lui prononcer ce mot lentement en isolant bien chacune de ses syllabes et lui demander de le répéter. Là encore, il ne faut pas sans cesse relever les erreurs commises mais plutôt reprendre le même exercice ultérieurement. Bien évidemment, il ne faut pas signaler les erreurs qui touchent des sons qui n'ont pas encore été travaillés.

Quelques difficultés

L'articulation d'une syllabe contenant une voyelle et une consonne est plus difficile à prononcer quand la voyelle se présente en premier. L'articulation de deux consonnes différentes qui se suivent est également une difficulté majeure. Il ne faut pas hésiter à reprendre plusieurs fois ces exercices s'ils sont mal réalisés. **Il est préférable que ce soit vous qui proposiez d'arrêter ce travail avant que l'enfant atteigne le stade de la fatigue**, qui risquerait de le conduire à refuser ultérieurement cette activité, ce qui serait très préjudiciable pour lui.

Certaines associations de lettres ne sont pas proposées dans ces exercices. Il ne s'agit pas d'oublis mais d'une volonté de supprimer tout ce qui peut être source de confusions pour l'avenir ou ce qui n'est pas indispensable à ce stade de l'évolution.

Il s'agit d'un exercice purement oral : l'enfant ne doit pas voir les lettres ni les sons écrits.

Même si l'enfant vous le demande instamment, à aucun moment vous ne devez lui montrer cette liste écrite de sons et syllabes. Le travail que vous faites ici est uniquement adapté à l'apprentissage des sons oraux. Celui de l'écrit implique le respect d'autres consignes que nous aborderons ultérieurement.

Apprendre à prononcer les sons de la langue orale

Comme pour tout apprentissage, il faut toujours partir de ce que l'on connaît pour avancer de manière logique. Ainsi, quels que soient les sons que votre enfant prononce mal, il est indispensable de respecter l'ordre présenté ici pour assurer la qualité de ses savoirs. Comme ce travail porte uniquement sur l'expression orale, vous ne trouverez que des sons dans ces listes (et non des mots).

Concernant les voyelles, vous vous contenterez de les faire répéter à l'enfant (a, e, é, è, i, o, u). Le « y » n'est pas pris en compte ici puisqu'il ne s'agit que de travailler des sons du langage oral.

Pour les autres phonèmes, l'explication concernant la manière de placer la langue, les commissures labiales et les lèvres vous est destinée mais ne doit évidemment pas être formulée ainsi à l'enfant. Entraînez-vous à prononcer les phonèmes et demandez à l'enfant d'observer ce que vous faites et de le reproduire.

Il faut toujours commencer par reproduire le phonème seul (par exemple « l ») avant de faire prononcer chaque association de phonèmes.

« l »

Ce son se prononce en plaçant la pointe de la langue derrière le milieu de l'arcade dentaire supérieure.

la, le, lé, lè, li, lo, lu
al, il, èl (*elle*), ol, ul

« v »

Le « v » se prononce en plaçant la lèvre inférieure sous les dents de la mâchoire supérieure.

va, ve, vé, vè, vi, vo, vu
val, vè, vil, vol, vul
vla, vle, vlé, vlè, vli, vlo, vlu

« ch »

Il se prononce en plaçant la pointe de la langue vers le palais sans le toucher et en avançant les lèvres.

cha, che, ché, chè, chi, cho, chu

ach, ich, och, uch

« s = ss »

Il s'agit là d'un son difficile à prononcer. On le produit en plaçant la langue juste derrière l'arcade dentaire inférieure, les deux mâchoires étant presque serrées pour imiter le bruit que fait le serpent qui siffle.

sa, se, sé, sè, si, so, su

sal, sèl (*selle*), sil, sol, sul

as (*asse*), is (*isse*), os (*osse*), us (*usse*)

« r »

L'articulation de ce son est une des plus difficiles à réaliser, surtout lorsqu'il est utilisé avec une autre consonne. Sa production spontanée dans le discours par l'enfant peut être assez tardive. Le « r » se prononce à partir de la gorge, dont l'enfant peut sentir les vibrations avec sa main posée sur l'avant du cou. Pour la plupart des enfants, il faut faire répéter de nombreuses fois les exercices pour obtenir le résultat escompté.

ra, re, ré, rè, ri, ro, ru

ral, rèl, ril, rol, rul

rach (*rache*), rich (*riche*), rèch (*rèche*), roch (*roche*), ruch (*ruche*)

rar, rèr, rir, ror, rur

ar, èr, ir, or, ur

var, vèr, vir, vor, vur

char, chèr, chir, chor, chur

sar, sèr (*serre*), sir, sor, sur

vra, vre, vré, vrè, vri, vro, vru

« t »

Il se prononce en mettant la langue derrière le milieu de l'arcade dentaire supérieure et en étirant légèrement les commissures des lèvres.

ta, te, té, tè, ti, to, tu

tal, tèl, til, tol, tul

tar, tèr, tir, tor, tur

tas (*tasse*), tis (*tisse*), tos (*tosse*), tus (*tusse*)

at (*atte*), èt (*ette*), it (*itte*), ot (*otte*), ut (*utte*)

tra, tre, tré, trè, tri, tro, tru

« n »

Ce son se prononce en plaçant la pointe de la langue derrière le milieu de l'arcade dentaire supérieure et en faisant passer le son par le nez.

na, ne, né, nè, ni, no, nu

nal, nèl, nil, nol, nul

nas (*nasse*), nis (*nisse*), nos (*nosse*), nus (*nusse*)

nar, nèr, nir, nor, nur

nat, nèt (*nette*), nit (*nitte*), not (*notte*), nut (*nutte*)

ann (*anne*), enn (*enne*), onn (*onne*), inn (*inne*), unn (*unne*)

« m »

Il se prononce en laissant les lèvres fermées.

ma, me, mé, mè, mi, mo, mu

mal, mèl, mil, mol, mul

mar, mèr, mir, mor, mur

ram (*ramm*), rèm, rim (*rimm*), rom (*romm*), rum (*rumm*)

amm (*amme*), èmm, imm (*imme*), omm (*omme*), umm (*umme*)

« d »

La prononciation, proche de celle du « t » s'obtient en plaçant la langue derrière l'arcade dentaire supérieure, les lèvres étant entrouvertes.

da, de, dé, dè, di, do, du

dal, dèl, dil, dol, dul

dar, dèr, dir, dor, dur

dra, dre, dré, drè, dri, dro, dru

« b »

Ce son s'obtient en expulsant l'air à partir des lèvres fermées.

ba, be, bé, bè, bi, bo, bu

bra, bre, bré, brè, bri, bro, bru

bla, blé, blè, bli, blo, blu

bar, bèr, bir, bor, bur

« p »

Sa prononciation est très difficile à différencier de celle du « b ». Seul varie le pincement des lèvres, qui est plus marqué pour le « b ».

pa, pe, pé, pi, po, pu
par, pèr, pir, por, pur
pal, pèl, pil, pol, pul
pra, pré, pri, pro, pru
ap, èp, ip, op, up

« f »

Ce son se produit en plaçant la lèvre inférieure sur l'arcade dentaire supérieure.

fa, fe, fé, fè, fi, fo, fu
fra, fre, fré, fri, fro, fru
far, fer (*ferre*), fir, for, fur
af, ef, if, of, uf

« in »

lin, vin, sin, bin, rin, pin, tin

« an »

lan, van, chan, san, ran, tan, pan, fan, dan, ban, man, nan, kan, plan, blan, vlan

« on »

lon, von, chon, son, ton, non, ron, mon, pon, don, bon, fon

« oi »

loi, voi, soi, choi, roi, toi, moi, noi, doi, poi, foi

« ou »

lou, vou, chou, sou, rou, nou, mou, tou, dou, pou, fou

« j »

Ce son est produit en plaçant la pointe de la langue vers l'avant du palais, sans le toucher et en expulsant l'air en resserrant les commissures labiales. Les sons « an, on, oi, ou » ayant déjà été vus, prononcez-les normalement dans les syllabes où ils apparaîtront désormais.

ja, je, jè, ji, jo, ju

jan, jon, joi, jou

« c = k »

ka, ke, ké, kè, ki, ko, ku

kan, koi, kou

« g » (prononcez « gu »)

ga, gue, gué, guè, gui, go, gu

gan, gon, goi, gou

« gn »

gna, gne, gné, gnè, gni, gno, gnu

« s = z »

Bien faire la différence entre ce son et le son « ss ». Il s'obtient en faisant passer l'air, au travers des mâchoires serrées, les commissures labiales étant écartées.

za, ze, zé, zè, zi, zo, zu

zan, zou, zon, zoi, zin

« x »

Ce son se prononce « kss ». Il représente une acquisition difficile.

xa, xe, xé, xè, xi, xo, xu

ax, ix, ox, ux

« ien »

lien, vien, tien, chien, sien, mien, bien, dien

« oin »

loin, foin, soin, poin, koin

« eu »

leu, veu, cheu, feu, seu, deu, beu, reu, neu, meu, jeu, keu

« eur »

leur, beur, deur, keur, seur, peur

« ill »

fille, pille, bille

« ail »

maille, faille, caille, baille, paille

« eil »

soleil, oreille, merveille

« ouill »

fouille, nouille, mouille, rouille

« euil »

feuille, deuil, seuil, veuille

Apprendre à entendre les phonèmes

Il est très important de commencer très tôt les exercices de prononciation des sons. De nombreux enfants commettent des erreurs à ce niveau. Les exercices indiqués ci-dessus leur permettront de les corriger.

Lorsque la prononciation des sons sera acquise, vous passerez à la discrimination des phonèmes. La difficulté est ici beaucoup plus grande. Tous les enfants doivent exécuter les exercices car ils leur sont indispensables pour avoir accès au langage écrit. Les enfants qui ne présentent pas d'anomalies de la discrimination des phonèmes les réaliseront assez aisément. Les autres mettront beaucoup plus de temps pour les réussir mais ils constitueront pour eux une véritable rééducation.

Comme les exercices précédents, ces exercices doivent être réalisés dans l'ordre proposé ci-dessous. Certains phonèmes ont été volontairement éliminés car leur apprentissage n'est pas nécessaire à ce niveau.

Conseils pour la réalisation des exercices

On demande à l'enfant de mettre ses mains à plat sur la table. On lui propose des mots qui contiennent ou non le phonème qu'on désire lui faire identifier. Quand le mot contient ce phonème, l'enfant doit frapper dans ses mains. Quand le mot ne le contient pas, il laisse ses mains sur la table. Pour les enfants plus âgés qui sont capables de réussir cet exercice sans difficulté, on peut le compliquer et leur demander de le réaliser en frappant dans leurs mains autant de fois qu'ils entendent le même phonème dans le mot.

La reconnaissance des voyelles est simple. Par contre, celle des phonèmes correspondant à des consonnes est beaucoup plus difficile. Elle nécessite de la part de l'adulte de bien comprendre ce qu'est le phonème à identifier. Comme dans les exercices précédents, il faut prononcer chaque phonème par le son qu'il représente. Chaque phonème est présenté avec un mot type qui le contient, de façon à en favoriser l'identification sonore, mais à aucun moment l'enfant ne doit voir ce mot écrit.

Les difficultés de la discrimination des sons viennent du fait que les différences sont très faibles entre un grand nombre d'entre eux (b/d/p/t, s/ss/z, f/v, ch/j). Les exercices de discrimination portant sur ces phonèmes sont très difficiles à réaliser par le jeune enfant, surtout lorsque le phonème à identifier se trouve au cœur ou à la fin du mot.

La prononciation des mots doit être très nette, avec une bonne articulation des sons. Il ne faut pas hésiter à réaliser chacun de ces exercices plusieurs fois, lentement, en détachant les syllabes, si besoin est, pour aider l'enfant dans sa tâche. La durée de cet exercice doit être courte (environ cinq minutes) mais journalière.

Les travaux concernant les conditions d'apprentissage par les neurones ont été couronnés par le prix Nobel de médecine attribué à Éric Kandel en 2000. Ce chercheur a montré que la répétition à intervalles courts d'une même stimulation est une des conditions indispensables à tout apprentissage. Il est navrant, au moment où des scientifiques peuvent justifier ce que l'expérience avait constaté, que les techniques d'apprentissage répétitives soient largement écartées des pédagogies dans le monde scolaire.

La répétition des exercices est une exigence neurologique.

Le travail exécuté sur les phonèmes a pour but de faire la différence entre des éléments proches sur le plan sonore, en particulier pour les phonèmes constitués de consonnes ou pour les phonèmes complexes construits avec plusieurs lettres. Il est normal que l'enfant peine pour réaliser certains exercices difficiles, surtout ceux qui concernent les phonèmes consonniques. Ceux qui posent problème devront être repris aussi souvent que nécessaire. **Il ne s'agit pas d'effectuer une course de vitesse mais de prendre tout le temps qui convient pour parvenir au résultat**, en sachant qu'un pourcentage élevé d'enfants strictement « normaux » a des difficultés majeures en ce domaine. Or, aucun apprentissage de la lecture et de l'écriture n'est possible sans cette capacité d'entendre et de reproduire tous les sons contenus dans un mot.

Ces exercices contiennent des mots inconnus de l'enfant. Ils fournissent une occasion d'enrichir son vocabulaire. Une interrogation sur le sens de chaque mot peut être pratiquée à la fin de chaque exercice.

Ces exercices sont toujours proposés de manière identique. Par exemple, pour le « a », vous dites à l'enfant : nous allons reconnaître dans les mots le « a » de « ami ». Quand je te dirai un mot qui contient ce « a », tu frapperas dans tes mains. Quand le mot ne contiendra pas de « a », tu laisseras tes mains sur la table.

Le a de « ami »

Un animal, un lapin, une banane, le bruit, une salade, un canard, une rose, un ruisseau, une fusée, un pigeon, une prune, papa, maman, un frère, une main, un camarade, du potage, une plume, un parachute, une église, du café, une flamme, une sardine, un poisson, une plage, le, la

Le i de « papi »

Un ami, la table, un radis, un aspirateur, une flamme, samedi, la farine, le cartable, le bruit, une robe, un ruisseau, une église, une fusée, une plume, la plage, un fusil, le pigeon, un canard, un crabe, une sardine, une cerise, la cuisine, le sucre, la cheminée, un parapluie, une peluche, un tapis

Le o de « oreille »

Dans cette série de mots, on s'abstiendra de placer des mots qui contiennent les phonèmes « au » ou « eau », dont la prononciation n'est pas strictement identique à celle du « o » et sera vue isolément.

Un os, une peluche, un orage, une tarte, la porte, une orange, une prune, un abricot, un ami, une tomate, la farine, un ordinateur, sortir, un bol, un col, un poisson, le sol, un phoque, un parapluie, la cuisine

Le u de « usine »

La rue, la luge, un ami, la plume, la fumée, la flamme, la lune, le tissu, la fusée, samedi, papi, la robe, un radis, la table, la voiture, la cheminée, la tomate, la farine, le bruit, le ruisseau, l'église, le fusil, un pigeon, un canard, l'aspirateur, le parachute, le cartable, la cuisine, un ordinateur, la cerise, le sucre, le parapluie, la peluche, le fromage, têtu, uni, osé, usé, perdu, utile, brune, rusé, un, une

Le é de « été »

On introduit ici une difficulté importante : la discrimination entre les phonèmes « é », « è » et « e ». Cet exercice ne sera certainement pas réussi lorsqu'il sera présenté la première fois. Il faudra y revenir souvent avant que le cerveau assimile la différence entre ces phonèmes proches dont l'identification est essentielle.

Le blé, la tête, un canapé, le thé, la crème, la fusée, un étalage, une église, la fumée, la colère, la salade, le lièvre, la porte, le chemin, la fenêtre, la pêche, une étoile, un étoilé, un élève, élevé, le cheval, la cheminée, la chemise, une clé, la couleur, coloré, la ferme, fermé, un habit, habillé, sale, salé, la pêche, pêché, une habitation, habité, un étalage, étalé, il mange, mangé, il abîme, abîmé, la fatigue, fatigué, il habite, habité

Le è de « lièvre »

La crème, le lièvre, le blé, la tête, l'église, la pêche, la fête, un étalage, il lève, la porte, le chemin, l'été, la colère, une scène, un cheval, la fièvre, un canapé, une chèvre, le thé, une salière, une étoile, un élève, l'école, la fusée, la fumée, la fenêtre, le rêve, une fève, du café, la fièvre, la cheminée, une cafetière, cassé, têtu, relevé, fermé, salé, tenir, habile, habité

Le e de « porte »

La prononciation du « e » est souvent considérée comme muette à la fin des mots, ce qui est inexact. En fait, si l'on veut permettre ensuite l'acquisition d'une bonne lecture et tout particulièrement d'une bonne orthographe, il faut prendre l'habitude, lors de la prononciation des mots se terminant par un « e », de faire entendre légèrement cette lettre afin qu'ultérieurement, l'enfant puisse l'écrire dans les mots lorsqu'il la rencontrera.

La porte, un étalage, la crème, un lièvre, un cheval, un canapé, du blé, la tête, la pêche, un chemin, la cheminée, la fenêtre, la ferme, la poste, l'été, la fusée, la fumée, un lièvre, la tête, la fête, l'église, la pêche, un étalage, l'étoile, la fée, un élève, la colère, la fièvre, la chèvre, le, la, un, une

Le l de « léa »

Un lapin, une salade, un vélo, solide, un ballon, une banane, une prune, un cheval, un légume, une robe, un blouson, un parapluie, une valise, le carnaval, une lumière, une plage, du fromage, un panier, une poule, un livre, une lettre, une betterave, une plume, un pli, un plat, des pâtes, un gâteau, une glace, une orange, un service, une griffe, une gifle, lever, se laver, saler, marcher, salir, sauter, solide, fatigué, utile, incapable, le, la, les, des, il, un, une

Le v de « vélo »

Le vélo, la valise, une fusée, la vache, la vague, la fortune, la vitesse, une betterave, le vol, la chatte, le livre, la salade, la vue, un fil, la vie, la biche, la flamme, une fenêtre, une sportive, la tête, le sportif, une pipe, la fête, la vérité, une barbe, la fuite, la piste, la ville, la fumée, voir, venir, passer, laver, lever

Le ch de « cheval »

« Ch » n'est pas l'assemblage de la lettre « c » et du « h » mais constitue un phonème à part entière qui n'a rien à voir avec ces lettres. La difficulté de discrimination de ce phonème porte sur la différence entre « ss » et « ch ».

Le chat, le cheval, une salle, une chemise, le savon, la chatte, la vache, le vase, la cheminée, un cavalier, le journal, la niche, la chute, un choc, du chocolat, le silence, la chasse, du sable, une liste, la salade, le chien, un sifflet, la valise, le chemin, le sol, un sachet, un sac, une chose, une chaussure, secouer, chercher, salir, chanter, savoir, chasser, achever, solide, chaud, juste, usé, charmé

Le s = ss de « savon » et de « chasse »

La difficulté se situe dans la différenciation de « ss » et « z ».

La salade, la sardine, une usine, le chat, une salle, une rose, le savon, un sifflet, le cheval, le silence, un poisson, du poison, une chose, le chemin, une liste, un pistolet, solide, le sol, un aspirateur, un os, un as, un lapin, une vache, une maison, une table, le chien, la valise, une rose, le vase, une chemise, une vache, une usine, la cheminée, la niche, la chute, un choc, du chocolat, une chute, lisse, lasse, usé, osé, secouer, salir, chanter, saler, savoir

Le s = z de « vase »

La difficulté concerne la différenciation entre « ss », « z/s », et « ch ».

La valise, la rose, le cheval, une chose, une chemise, la salade, le savon, une vache, une usine, un os, un sac, une chemise, la chatte, le chemin, la niche, la chute, un zèbre, le chien, un choc, un as, le visage, la brise, une salle, le silence, une tasse, un vase, le zoo, oser, user, secouer, poser, peser, passer, chasser, arroser, savoir, dévisager, sentir, accuser

Le r de « rose »

Nous avons vu, lors des exercices portant sur les sons de la langue, que le « r » est souvent difficile à prononcer, surtout quand il est précédé ou suivi d'une consonne. Il en est de même pour bien discriminer le « r » dans les syllabes contenant d'autres phonèmes consonniques.

La rivière, la ruse, la classe, une tarte, le livre, la ruche, la poche, une ride, une plume, une ruse, la lèvre, un lièvre, un lapin, la chevelure, le vélo, le sol, une prison, le rêve, la rue, du sable, une rivière, le cheval, le train, un brin, le bien, la crainte, une carte, du pain, un radis, une chose, une chèvre, un parapluie, un renard, une prune, un abricot, une pomme, du potage, sauvage, arrivé, arrosé, colorié, venir, relevé, séché, abrité, sucré, salé, sauvé, courir, battre

Le t de « tarte »

La discrimination doit surtout être axée sur la différence entre « t » et « d ». Une attention particulière est portée au mot contenant une association du « t » avec une autre consonne.

La tasse, la dame, la tortue, du tissu, la chevelure, le domino, le vélo, la tomate, la tête, une balle, le tennis, le malade, la niche, la date, une idée, la chatte, la tempête, la terre, la ruche, un traîneau, la vérité, le dé, le travail, la liste, le livre, la chute, la tapisserie, la vallée, une patte, la propreté, la rue, le talon, le train, une partie, une bretelle, partager, patauger, venir, chasser, broder, tremper, solder, dire, tordre, mordre, perdre, trier, attirer

Le n de « niche »

La discrimination porte essentiellement entre « m » et « n ».

Le nez, la neige, le mari, le numéro, une noisette, une arme, le cheval, un nid, le navire, le piano, une mèche, un nain, le lama, la ruche, une noix, un nuage, le matin, la rive, la chute, la nature, le mur, le livre, une rivière, une armure, la chemise, la nuit, le métro, un navet, le monde, une année, la tasse, la tomate, un animal, une anémone, orner, mordre, nommer, manger

Le m de « marie »

Le problème est identique à celui du phonème précédent (« n »).

Le mur, le livre, le lama, le mari, le navire, le matin, le piano, une arme, la neige, une rivière, le numéro, une armure, une noix, la chemise, la tasse, la tomate, le métro, l'animal, la rose, la chasse, une mèche, une note, la niche, chevelure, le monde, la nuit, le nez, la niche, mercredi, ruche, la chute, la nature, maintenant, demain, samedi, dimanche, mardi, maman, mamy

Le d de « dame »

La discrimination porte sur « d », « t », « b », et « p ».

Un domino, la date, un doigt, le bol, le dé, une idée, une balle, la bulle, la tempête, bébé, la salade, un abri, un bouton, une brioche, le docteur, une banane, un déguisement, une promesse, une demoiselle, la danse, une découverte, la biche, la robe, une tasse, un bras, le départ, une bataille, le vélo, la tomate, la tête, mordre, porter, venir, tordre, dire, broder, devenir, poser, adorer, tenir, donner, bavarder, décharger, déchirer, découper, doré, malade, midi, toujours, lundi, mardi, mercredi, jeudi, vendredi, samedi, dimanche, janvier, mars, mai

Le b de « bébé »

La discrimination porte, comme pour l'exercice précédent, sur « d », « t », « b » et « p ».

Le bol, une balle, la bulle, une dame, le domino, un bouton, la salade, la banane, la biche, la robe, le livre, le sol, la date, un ballon, du bois, le départ, un bateau, un bassin, le bus, la brioche, la brosse, la danse, le bras, le doigt, la barbe, un abri, le passage, la tasse, la bordure, le bain, le pain, la pluie, la prune, la peluche, le dé, le pré, une idée, un bâton, midi, bientôt, octobre, novembre, décembre, janvier, mardi, mercredi, jeudi, vendredi, samedi, dimanche, décider, dormir, bondir, mordre, tomber, venir, tordre, dire, bricoler, bouger

Le p de « papa »

La discrimination se fait entre « p », « b », « d », « t ».

Papy, la pipe, la biche, la pâtée, la purée, la tasse, le pré, un bol, la pluie, la roche, le lièvre, la prune, la peluche, la pommade, un abri, la tête, la porte, la patte, la rue, la rapidité, le passage, la table, la tempête, la tarte, la tache, la pêche, la date, la tortue, la dame, du tissu, la paille, le piano, le poids, la chatte, une balle, la tapisserie, le passage, la patinoire, le domino, un poisson, une boisson, punir, tenir, bâtir, dormir, partir, dire, prévenir, porter, abriter, apporter, attacher, adorer, élever, peser, préparer, dire, tordre, mordre, venir, chasser

Le f de « fusée »

La discrimination entre « f » et « v » est souvent difficile.

Le fil, la farine, la fortune, la vie, la chatte, la vache, le facteur, la biche, la flamme, une fenêtre, le vélo, la fortune, la vague, la fatigue, une femme, un fermier, une valise, la vue, le sportif, la sportive, la fin, la fête, la valise, une fille, une ville, la figure, la fuite, la piste, la fumée, la folie, la vérité, une fée, une farce, une feuille, la faim, la famille, la fièvre, un fou, le vol, facile, faible, fort, affamé, enflammé, enfermé, vendu, formidable, finir, vivre, fabriquer, voler, visiter, fouiller, s'envoler, s'affoler, offrir, se venger, avaler

Le in de « lapin »

On introduit ici des mots qui se prononcent de manière identique sous leurs différentes formes orthographiques (in, ain, aim, ein, un, um), puisqu'il s'agit d'identifier un phonème et non un graphème.

L'imperméable, du parfum, parfumé, du pain, un panier, la faim, la famine, un lapin, une lapine, le frein, du vin, le médecin, la médecine, le raisin, une ligne, la main, la crainte, une plainte, une plante, la plaine, la peinture, une ceinture, le train, brun, brune, plein, malin, maligne, insupportable, vilain, éteindre, freiner, peindre, prendre, craindre, fendre, lundi, mardi, demain, enfin, un, une

Le an de « branche »

Là encore, on introduit les différentes formes orthographiques de ce phonème.

Une branche, une chambre, un chamois, une tente, une plante, une plainte, un peintre, une pente, une tartine, un livre, une chanson, un chiffon, un lapin, une chanson, un carton, une dent, blanche, plein, pleine, dans, janvier, février, mars, avril, mai juin, juillet août, septembre, octobre, novembre, décembre, traverser, trembler, rendre, entendre, tremper, tromper, maman

Le on de « violon »

La discrimination s'opère entre « on » et « onne ».

Du savon, une ombre, une pomme, une lionne, une robe, un pantalon, une tortue, une championne, un poisson, une piétonne, un piéton, un bonbon, une bonbonnière, un pont, un bâton, un plongeur, fondu, sombre, blonde, bonne, ronde, savonner, tomber, plonger, se promener, gronder, pardonner, fondre, tondre

Le oi de « roi »

Ce son est simple à identifier et entraîne peu de confusions au niveau de l'oral.

Le soir, un toit, un poisson, une poutre, le livre, une poire, une voiture, la poudre, une armoire, un pantalon, le numéro, un espoir, une toiture, la foire, une femme, la bouche, une boisson, un animal, une boîte, un trottoir, une voiture, un devoir, avoir, croire, fondre, savoir, boire, plonger, voir, froid, noir, moi, toi, lui, vous

Le ou de « poupée »

Là encore, la discrimination des sons est simple.

Une poule, un chou, une boule, une montre, une bouche, un bouton, la foule, une roue, le roi, un poisson, un tronc, un trou, un tour, une bouche, la voiture, du pain, la poussière, le navire, une toiture, une boisson, une poire, un four

Le er de « merle »

Le seul problème de discrimination posé concerne la différence entre « erre » et « é ».

La mer, mériter, la ferme, une fée, la fermière, une ouverture, une perle, un pétard, une perche, une poupée, un perchoir, une perdrix, du fer, une personne, une mèche, la médecine, la mémoire, dernière, verte, merveilleux, méchant, perdre, pendre, coucher, espérer, tordre, éternuer, percer, périr pétiller, pétrir, permettre, percer, prêter, partir, mêler

Le ier = yer de « panier »

La discrimination est souvent difficile entre « ier », « é » et « è ».

Un soulier, un soufflet, l'été, un pommier, un canapé, un sucrier, un ouvrier, un étalage, un plombier, la fumée, un panier, la fusée, du blé, un pommier, un cuisinier, un cerisier, un plâtrier, un abricotier, un fermier, la saleté, une serrure, un serrurier, une étoile, un élève, la cheminée, une clé, janvier, février, mars, avril, mai, juin, juillet, août, septembre, habillé, élevé, habité, salé, arrivé, coloré, colorié, mangé, abîmé, fatigué, attacher, balayer, effrayer, fermer, marcher, chasser, crier

Le j de « journal »

La discrimination porte sur la différence entre le son « je = ge » et les phonèmes « ch » et « gu », ainsi que sur la différence sonore qui existe entre « e » et « eu ».

Le jour, la joie, le choix, la voix, la gorge, le jardin, une guirlande, une jupe, du gui, le chat, le jasmin, la chemise, un gilet, une chute, la journée, le cheval, la gelée, la guitare, la cheminée, un singe, un jeu, un sujet, joli, solide, sourde, sage, gai, bonjour, jamais, jeudi, janvier, avril, juin, juillet, jeter, abriter, jouer, guider, choisir, gémir, jaser

Le c = k = qu de « cartable »

La discrimination porte surtout entre « c », « g » et « ss ».

Un camarade, la cuisine, la colle, un cube, la cloche, le sable, la salade, un crabe, la cuisine, la salle, un coq, un quartier, le cirque, une gomme, des briques, une claque, la guitare, la glace, la classe, un garage, une carapace, une cerise, le sac, l'écriture, gros, clos, la musique, un képi, un kilomètre, une guirlande, la kermesse, le clocher, un kangourou, claquer, gagner, cogner, séparer, classer, coller, entasser

Le g de « gomme »

La discrimination se fait essentiellement entre « g », « k » et « j ».

La gare, une gravure, un garçon, un kangourou, la glace, une église, un cartable, du café, une gravure, une goutte, un singe, une grotte, un képi, une grue, un cube, une girafe, la cuisine, le guidon, la figure, du gui, le visage, la cave, la plage, une guitare, une ligne, un nuage, une figue, le village, une sacoche, une gare, grande, aigu, sage, magique, gentil, grave, gros, gris, gagner, griffer, grandir, crier, écrire, guider, croire, s'agiter

Le gn de « peigne »

La discrimination est souvent difficile à réaliser entre « gn » et « g ».

La montagne, la vigne, un signe, un singe, la gymnastique, la campagne, un nuage, une girafe, une cigale, une cigogne, la fatigue, l'orage, la baignoire, un signe, le visage, la plage, une image, un garçon, un glaçon, une ligne, une guitare, une araignée, le courage, mignon, magnifique, sage, magique, soigner, gagner, signer, cogner, cacher, se baigner, s'agiter, saigner

Le x de « taxi »

La discrimination porte sur « x » et « ss ».

Le taxi, une tasse, un fax, une phrase, une église, la boxe, la bosse, un malaise, fixé, assis, grise, toxique, triste, vexé, malaxer, fixer, tisser, glisser, taxer, percer, poser, tasser, vexer

Le ien de « chien »

La discrimination entre « ien » et les divers sons « in » est très difficile. L'enfant doit aussi apprendre à discriminer « ien » et « ienne ».

Le bien, la chienne, le vin, le pain, la plaine, le bain, le rein, un rien, le chemin, le matin, le frein, le lapin, le mien, la mienne, le tien, la tienne, le sien, la sienne, une teinte, une plainte, le maintien, un lien, des indiens, des indiennes, un parisien, une parisienne, il vient, il viendra, ils viennent, il tient, il tiendra, ils tiennent

Le oin de « pointe »

La discrimination entre « oin », « ien » et « in » est assez facile. Par contre, beaucoup d'enfants entendent « ou-in » au lieu de « oin ». Il faut donc être très vigilant dans la prononciation de ce son pour que l'enfant comprenne que **le son « oin » est un seul phonème et n'est pas constitué de deux phonèmes successifs.**

Le point, le pin, un lion, une pointe, un pion, un lapin, le foin, la fin, le soin, un singe, le chien, le signe, le sapin, le coin, le bien, le bain, le joint, le grain, un point, la main, du pain, pointu, loin, demain, rien, lointain, vilain, malin, moins, bien, il rejoint, il vient, il soigne, il signe, il revient

Le eu de « jeu »

La discrimination entre « eu », « eur » et « ure » est simple. Par contre, certains enfants confondent le son « e » et le son « eu ». Il est très important de ne pas laisser s'installer cette erreur qui serait une source importante de difficulté dans l'apprentissage ultérieur de l'orthographe.

Un peu, un nœud, la peur, la sueur, la douleur, le voleur, la couleur, le facteur, la figure, une friteuse, un lieu, la blancheur, la terreur, une erreur, le cœur, la saveur, une voiture, une odeur, une chaussure, jeudi, vendredi, un peu, un cheval, un cheveu, un genou, le jeu, jeter, paresseux, affreux, deux, creux, petit, pur, dur, dangereux, bleu, vieux, perdu, il veut, il pleut, je marche, je joue

Le eur de « fleur »

La discrimination porte sur les mêmes phonèmes que pour « eu » (eur, eu, u, e).

La douleur, la sueur, la peur, un nœud, le voleur, un cheveu, la couleur, le facteur, la figure, une friteuse, la terreur, le cœur, la nature, la saveur, la fureur, le feu, la chaleur, la chaussure, la facture, le pêcheur, la friture, un menteur, un dormeur, le jeu, une odeur, la rougeur, un pneu, jeudi, bleu, affreux, brutal, deux, cru, creux, paresseuse, juste, il veut, tu peux

Le ille de « fille »

La discrimination entre « ille » et « il » est souvent difficile à acquérir.

Une fille, une file, la ville, une bille, la bile, une grille, une gifle, une pile, la famille, la famine, une grillade, un billet, des rillettes, un fil, un gilet, un chenil, une chenille, la fatigue, un village, un cil, un papillon, il brille, il pille, elle s'habille

Le aill de « maille »

La discrimination porte entre « al » et « aill ».

Le travail, un rail, un cheval, une médaille, une maille, le mal, une malle, une écaille, la taille, la table, la paille, pâle, la faille, une caille, une cale, du bétail, une étable, bailler, emballer, tailler, étaler, habiller, batailler

Le eill de « soleil »

La discrimination se fait entre « elle » et « eill ».

Une merveille, une aile, une pelle, une abeille, une oreille, des groseilles, une corbeille, le sommeil, un oreiller, le ciel, une bouteille, la grêle, un orteil, une selle, merveilleux, belle, vieille, actuel, se réveiller, révéler, sommeiller, briller

Le ouill de « mouille »

La discrimination porte ici sur les sons « ouill » et « oul ».

Des nouilles, une grenouille, une poule, la foule, une boule, une citrouille, il bafouille, fouiller, brouiller, brûler, grouiller, couler, bouillir

Le euill de « écureuil »

On différencie les sons « euill » et « eill ».

Une feuille, un fauteuil, le soleil, une corbeille, le seuil, un portefeuille, une merveille, une oreille, une bouteille, un treuil, seul, souillé, essuyé, effeuille, cueillir, cuire, fouiller

Cette liste n'est bien évidemment pas exhaustive et n'aborde pas, volontairement, certains phonèmes qui sont réservés à l'apprentissage de la lecture et dont la discrimination n'a pas à être étudiée ici.

Rappelez-vous que la discrimination des sons est très difficile pour le jeune enfant. Pour les phonèmes qui posent problème, reprenez plusieurs fois chacun d'eux jusqu'à ce que l'enfant perçoive bien les différences entre les sons. Cette activité doit se dérouler sur de courtes périodes, en « travaillant » dans le calme et la sérénité. Lorsque les exercices proposés ici sont réalisés correctement, les résultats sont au rendez-vous. Cela dit, la construction des circuits phonologiques peut être très lente, en particulier chez les enfants qui sont porteurs d'éléments neurologiques faisant d'eux de potentiels dyslexiques. Dans ce cas, vous avancerez beaucoup moins vite. **Vous limiterez si nécessaire le temps de travail, et vous ne signalerez pas ses erreurs ni sa lenteur à l'enfant. Par contre, vous le féliciterez lorsqu'il réussira** : il faut en effet à tout prix l'empêcher de se décourager, afin qu'il puisse poursuivre ce travail qui constitue pour lui une véritable rééducation, laquelle portera ses fruits le moment venu.

Dans la grande majorité des cas, les difficultés s'aplaniront, les circuits cérébraux se mettront en place. Qui peut, mieux que vous, proposer ce cheminement à votre enfant, en respectant son rythme d'acquisition ? Ce problème résolu, vous aurez marqué un grand pas en donnant à votre enfant toutes les chances de réussir dans l'apprentissage ultérieur de la lecture et de l'écriture.

CHAPITRE 4

LE DÉVELOPPEMENT DU GRAPHISME ET DE LA LATÉRALISATION

Au programme

- L'évolution du graphisme chez l'enfant
- L'acquisition de la latéralisation

Nous avons vu antérieurement comment développer le langage oral chez l'enfant et lui permettre d'accéder à une bonne discrimination des phonèmes de la langue. Ce chapitre est consacré à l'acquisition du graphisme et de la perception spatiale, dont la maîtrise est indispensable pour permettre l'accès à la lecture et à l'écriture. Lire et écrire nécessitent de reconnaître la situation des signes graphiques dans l'espace en deux dimensions que représente la feuille de papier. Il faut donc percevoir à la fois les faibles différences de forme et l'orientation des segments qui les composent. Ces notions qui paraissent simples à l'adulte sont en réalité très difficiles à acquérir pour l'enfant. Par l'intégration dans la vie journalière d'exercices adaptés, l'environnement de l'enfant peut jouer un rôle clé dans la réussite de cet apprentissage.

À noter

Dès la première enfance et jusqu'au CP, il est important de faire acquérir et de stimuler le graphisme et la latéralisation par des exercices d'application.

L'évolution du graphisme chez l'enfant

Comme dans l'histoire de l'humanité, le dessin précède l'écriture chez l'enfant. L'évolution de la maîtrise du graphisme est lente et reflète celle de l'ensemble du développement psychomoteur. Elle se fait au rythme de la structuration des circuits cérébraux qui relient entre eux les neurones sous l'influence des stimulations qu'ils reçoivent. Il incombe donc au milieu familial de tout mettre en œuvre pour faciliter le plus efficacement possible ce développement.

Commençant par un simple « gribouillage » obtenu avec un crayon, le plus souvent tenu avec les quatre doigts repliés sur la paume, le dessin va, peu à peu, se structurer pour reproduire des formes simples. Des cercles faits d'un grand nombre de circonférences tracées les unes sur les autres constituent l'un des premiers modes d'expression graphiques de l'enfant. **De nombreux mois sont nécessaires pour passer de ces tracés rudimentaires au dessin figuratif, qui exige un contrôle précis de la motricité fine.**

L'évolution graphique la plus connue est celle du « dessin du bonhomme ». D'abord réduit à un simple cercle irrégulier dans lequel sont figurés des points ou des traits sommaires représentant les principaux éléments de la face, le dessin s'enrichit par l'ajout de lignes grêles qui partent de la circonférence et qui représentent les membres. Ce « bonhomme têtard » acquiert ensuite des formes plus différenciées au niveau de la face : yeux, bouche, nez, oreilles, cheveux. **Au fur et à mesure que l'enfant prend conscience de son propre schéma corporel, son dessin reproduit plus distinctement les éléments qui le constituent.** Ainsi la tête se différencie du tronc, apparaissent des mains avec des doigts, des pieds avec des orteils et des détails anatomiques ou vestimentaires qui concrétisent la représentation mentale que se fait l'enfant de son corps.

En ce qui concerne les formes géométriques, après les traits et les cercles, le carré, le rectangle et le triangle sont assez rapidement réalisables. Il n'en est pas de même du losange, forme très difficile à reproduire en raison de la nécessité de faire se rejoindre des lignes obliques orientées les unes vers les autres de manière symétrique. La partie haute du losange, assimilable à un triangle sans base, est assez vite réussie, mais la jonction des obliques de la partie inférieure constitue un obstacle majeur pour l'enfant. L'expérience prouve que les enfants qui ne parviennent pas à reproduire un losange n'ont pas acquis un niveau d'évolution neurologique suffisant pour aborder l'apprentissage de la lecture et de l'écriture sans aide appropriée.

En dehors de la reproduction du point ou du cercle, toute représentation graphique exige d'orienter les formes dans l'espace, même les plus simples, comme les traits. La compréhension et la reproduction du dessin (personne, objet ou animal) sont réalisées par l'hémisphère droit qui compare de manière analogique les ensembles qu'il perçoit avec ceux qu'il a stockés dans sa mémoire. Par contre, lorsque les éléments graphiques sont la représentation symbolique de mots, d'idéogrammes ou de sons musicaux, ceux-ci sont traités et rassemblés uniquement par des structures cérébrales spécialisées situées dans l'hémisphère gauche.

À noter

S'il est essentiel de laisser l'enfant s'exprimer très librement par le dessin spontané, qui fait appel à son hémisphère droit et puise dans son univers émotionnel, cette expression graphique doit être associée à un apprentissage directif de la reproduction des formes qui entreront ultérieurement dans l'apprentissage de l'écrit, et seront prises en charge par l'hémisphère gauche.

L'acquisition de la latéralisation

Lorsque l'enfant découvre son environnement, il est confronté à l'espace en trois dimensions au sein duquel il va peu à peu prendre conscience de l'existence de son propre corps. Il découvre progressivement les différentes parties qui composent son identité. Il apprend à se différencier de ce qui l'entoure et à se situer par rapport aux objets ou aux êtres. **Cela suppose qu'il acquière des** notions complexes, notamment qu'il comprenne ce que signifie : devant, derrière, sous, sur, à côté – puis, plus tard : à droite, à gauche, au milieu, avant, après, pendant, etc.

L'acquisition d'un bon repérage spatial se fait lentement mais peut être facilitée par de nombreux exercices. Les plus simples sont à réserver aux très jeunes enfants et peuvent être proposés de manière précoce, dès que ceux-ci montrent un intérêt pour ce type d'activité. Mais pour un enfant plus âgé chez lequel on met en évidence des difficultés de repérage spatial, il ne faut pas hésiter à les reprendre dans leur intégralité en lui expliquant leur raison d'être. Pratiqués pendant cinq à dix minutes par jour, ils donnent des résultats spectaculaires dans l'acquisition de la maîtrise de l'espace.

Peu à peu, la perception spatiale de l'enfant va s'accompagner de l'apparition d'une dominance motrice en matière de latéralisation. Pour éviter bien des drames, il faut savoir déterminer celle-ci et s'y adapter.

Déterminer la dominance motrice et la main directrice chez l'enfant

Jusqu'à quatre ou cinq ans, il n'est pas rare que l'enfant se serve indifféremment de sa main gauche ou de sa main droite pour accomplir les actes de la vie journalière. Cependant, à partir de la grande section de maternelle, il devient indispensable d'observer attentivement l'enfant pour définir la main la plus fréquemment utilisée pour effectuer les gestes qui demandent de la précision : tenir un crayon pour dessiner, des ciseaux pour couper, prendre un objet fragile, etc. **La latéralisation se met en général en place toute seule et aboutit à 90 % de droitiers pour 10 % de gauchers.** La préférence au niveau du pied ne doit pas être prise en compte dans le choix de la latéralisation manuelle. Seuls quelques très rares enfants (moins d'un pour cent de la population) sont strictement ambidextres et emploient aussi facilement chacune de leurs mains.

S'il existe une ambiguïté sur la main dominante, il est indispensable de la lever.

Mais comment y parvenir ? Il faut alors multiplier les jeux et observations. Il suffit de demander à l'enfant d'exécuter des tâches qui demandent de la précision, d'abord avec une main, puis avec l'autre, et d'observer celle qu'il choisit de manière préférentielle et celle qui lui permet de mieux réussir ce travail. On peut proposer d'exécuter un travail de découpage, la reproduction d'un dessin simple (cercle, rectangle, triangle, maison, des formes plus complexes reproduisant des dessins symétriques, etc.). Ce test doit tenir compte à la fois de l'exactitude de la production mais aussi de sa rapidité et de la fermeté des traits du dessin. Il est en général suffisant pour déterminer la latéralisation dominante.

Si aucune dominance ne se dégage, il est préférable de choisir la main droite dans la mesure où, dans la vie pratique, beaucoup d'objets sont conçus par des droitiers pour des droitiers. Cela étant, le fait d'être gaucher n'a aucune incidence sur les possibilités de réussite scolaire d'un enfant. La seule difficulté pour les gauchers est d'apprendre à bien tenir leur crayon et de positionner leur main en plaçant leur poignet strictement dans l'axe de l'avant-bras.

Il faut signaler que, dans les familles où l'on rencontre des gauchers chez les parents ou dans la fratrie, il est indispensable d'observer la situation avec attention chez chaque enfant. Il arrive en effet qu'un membre de la fratrie, droitier, s'impose une latéralisation à gauche par imitation. Il faut penser à cette possibilité et multiplier les exercices afin de mettre en évidence la véritable tendance dominante de l'enfant.

À aucun moment une pression ne devra être exercée pour modifier le choix de la latéralisation motrice. Les risques de la latéralisation contrariée sont, en effet, importants.

Les dangers de la latéralisation contrariée

En dehors de la difficulté considérable qu'éprouve l'enfant gaucher à devenir droitier, et des souffrances que cette contrainte impose, son cerveau est dans l'obligation de subir des modifications anatomiques importantes pour s'adapter à ce mode de fonctionnement pour lequel il n'est pas programmé.

Les centres de la motricité cérébrale sont croisés : les gestes de l'hémicorps droit sont commandés par l'hémisphère gauche et ceux de l'hémicorps gauche par l'hémisphère droit. Cependant, chez tout individu, la motricité fine – en particulier celle de la main, qui confère l'habileté dans la réalisation des gestes – présente un côté nettement plus performant que l'autre. Cette latéralisation ne porte que sur les centres moteurs. Les autres aires cérébrales du cortex cérébral ne sont pas inversées chez les gauchers. Les centres du langage, en particulier, sont placés de manière identique dans les deux cas. Ils se situent toujours dans l'hémisphère gauche.

Un enfant gaucher contraint à devenir droitier devra donc détourner de leur fonction et spécialiser peu à peu des neurones moteurs de son hémisphère gauche qui n'étaient pas dévolus à la motricité fine. Le cerveau parvient en général, après beaucoup de temps et d'efforts, à s'adapter à cette situation, mais ce détournement de fonctions des neurones concernés se fait aux dépens de territoires proches sur le plan anatomique, comme, par exemple, ceux du langage oral et écrit. C'est la raison pour laquelle **la latéralisation motrice contrariée peut générer des troubles de la parole, tel le bégaiement ou, plus tard, des difficultés d'adaptation à la langue écrite qui ne se seraient pas produits si la latéralisation spontanée de l'enfant avait été respectée.**

À notre époque, si la modification volontaire de la latéralisation devient heureusement rare, on constate, par contre, la persistance tardive de latéralisations hésitantes chez de nombreux enfants, ainsi qu'une incapacité à se situer dans l'espace par rapport à des repères simples en deux dimensions. Ces notions devraient pourtant être totalement acquises en fin de grande section de maternelle.

La place donnée aux jeux et activités destinés à favoriser ces acquisitions est, comme celle de la discrimination des sons, une priorité éducative de la première enfance.

Vous trouverez dans le chapitre 5 des exemples d'activités motrices et graphiques qui vous permettront d'apporter à votre enfant toute l'aide dont il a besoin en ce domaine.

CHAPITRE 5

FACILITER LE DÉVELOPPEMENT DU GRAPHISME ET DE LA LATÉRALISATION

Au programme

- Prendre conscience de son corps et de l'organisation de l'espace
- Reconnaître des formes et les orienter dans l'espace en deux dimensions
- Exercices graphiques destinés à préparer l'apprentissage de l'écriture
- Modèles d'exercices graphiques

Prendre conscience de son corps et de l'organisation de l'espace

Ces exercices sont en réalité des jeux, dont certains peuvent être réalisés à la maison, et d'autres à l'extérieur. Vous trouverez ici quelques idées à exploiter mais votre imagination vous aidera à en créer bien d'autres.

Prendre conscience de la réalité physique de son corps et de sa situation dans l'espace

Pour les très jeunes enfants, les exercices doivent être pratiqués sans nommer de manière explicite la droite et la gauche. On utilise simplement un signe distinctif pour faire prendre conscience de l'existence des deux côtés du corps. On peut, par exemple, nouer un ruban autour d'un poignet et reprendre ensuite les mêmes exercices en changeant le ruban de côté.

Dans tous les cas, avant de faire réaliser un exercice à l'enfant, vous devez l'exécuter devant lui en expliquant les gestes que vous effectuez. **L'enfant doit également oraliser son action au moment où il l'accomplit** (par exemple : « Je mets ma main sur ma bouche », etc.). Si cette expression orale de l'acte moteur n'est pas réalisée, celui-ci perd une part essentielle de sa valeur car les neurones sont privés de la stimulation qui provient de la partie sensorielle de l'action (ici, le passage par l'expression sonore de l'acte).

Le premier objectif est de prendre conscience de l'existence de son propre corps dans l'espace ainsi que des relations qui s'établissent entre lui et les objets qui l'entourent.

Inventaire du corps

Demander à l'enfant de choisir en premier la main dont il se sert le plus fréquemment pour exécuter des gestes précis (celle qui dessine, qui tient la cuiller pour manger) et y attacher un ruban au poignet.

Faire poser cette main sur la tête, la bouche, le front, une cuisse, puis sur l'autre, un genou, l'autre genou, une épaule, l'autre épaule, etc.

Faire exécuter les mêmes exercices avec l'autre main.

Mettre l'index de la main porteuse du ruban sur le bout du nez, sur l'oreille du même côté, sur l'autre oreille, etc.

Faire le même exercice avec l'autre index.

Travail des positions

Le but est d'amener l'enfant à bien percevoir la position dans laquelle son corps se situe dans l'espace.

Debout : on demande à l'enfant de sentir le poids de son corps sur ses pieds, de prendre conscience du contact de ses pieds avec le sol.

Assis : on lui demande de percevoir le contact de sa chaise, le contact du sol sous ses pieds.

Mains posées bien à plat sur la table : il doit sentir le contact de la table sous ses paumes ainsi que les limites de la table. Cette prise de conscience d'un espace dégagé devant soi est une notion importante à acquérir, car on exécute plus facilement et avec moins de fatigue une activité (ludique ou de travail) dans un espace dégagé que sur une petite surface envahie de piles d'objets dans lesquelles on ne retrouve même plus ce dont on a besoin.

Couché bras le long du corps, couché bras en croix, couché bras levés (les deux, puis un seul).

Debout avec mouvements de bras (verticaux, horizontaux, le long du corps, etc.). Vous pouvez multiplier les exercices, les alterner.

Marcher sur une ligne tracée au sol, droite, incurvée, en cercle.

Sauter sur une ligne les deux pieds ensemble, puis sur un seul pied sur la ligne, puis d'un côté et de l'autre de la ligne.

S'asseoir en tailleur : sentir ses jambes pliées et tendre une jambe puis l'autre, poser ses mains à plat sur le sol, etc.

Là encore, pour chaque exercice, n'oubliez pas de faire formuler à l'enfant l'acte qu'il accomplit (par exemple : « je suis debout », « je lève un bras », etc.).

Vous pouvez également utiliser le jeu classique de « Jacques a dit » pour stimuler l'attention de l'enfant. Ce jeu a l'avantage de permettre de prendre conscience des positions du corps et de s'entraîner à la concentration. Vous en connaissez certainement le principe. Lorsque vous dites « Jacques a dit : levez un bras », l'enfant doit lever un bras. Lorsque vous donnez l'ordre sans dire « Jacques a dit », l'enfant ne doit pas bouger.

Utilisation du rythme

Les ordres moteurs peuvent être donnés en faisant intervenir la notion de rythme. Par exemple : « Assis/debout ! » en frappant dans les mains. Vous frappez une fois dans vos mains, l'enfant exécute l'ordre donné, vous frappez deux fois, il garde la position dans laquelle il se trouve. Vous pouvez aussi utiliser un tambourin pour rythmer ces exercices.

Vous pouvez inventer des quantités de jeux de ce type en variant les consignes. Cela augmentera les capacités de concentration de votre enfant.

Prendre conscience de la situation des objets dans l'espace

Vous pouvez parvenir à faire prendre conscience à votre enfant de la situation des objets dans l'espace à l'aide de multiples moyens, en utilisant des objets courants ou des jouets.

Le but est d'obtenir que l'enfant puisse placer un objet par rapport à un autre : devant, derrière, dessus, dessous, d'un côté (d'abord du côté où la main porte un signe distinctif) puis de l'autre. Peu à peu, vous introduirez la notion de droite et de gauche.

Lorsque vous ferez des exercices avec un côté porteur d'un signe distinctif (comme un ruban), vous indiquerez le nom de la main qui porte ce ruban. À ce stade, vous aurez intérêt à faire pratiquer plusieurs jours de suite les exercices du même côté, en demandant à l'enfant de mettre lui-même le ruban sur la main que vous aurez choisie en la nommant. Lorsqu'il ne commettra plus d'erreurs, vous pourrez faire le même travail du côté opposé. Ensuite, vous pourrez introduire verbalement la notion de droite et de gauche en indiquant les exercices à exécuter.

Reconnaître des formes et les orienter dans l'espace en deux dimensions

Ces exercices ont pour but d'apprendre à l'enfant à différencier des formes simples les unes des autres en tenant compte, lorsque c'est nécessaire, de leur orientation dans l'espace.

Pour les pratiquer, il faut disposer de nombreuses séries de formes dont les différences sont très marquées pour le jeune enfant, puis de plus en plus difficiles à identifier lorsque ses performances croissent. Vous trouverez ici des exemples qui peuvent vous être utiles pour exécuter ces jeux. Si vous souhaitez utiliser ces modèles, il vous faudra photocopier chaque page en plusieurs exemplaires (éventuellement en les agrandissant) car vous devez disposer de quatre à cinq modèles identiques de chaque dessin. Vous découperez ensuite chaque dessin que vous collerez sur un carton carré d'environ 5 cm × 5 cm.

Nombre d'autres possibilités d'exercices s'offrent à vous. Vous pouvez, par exemple, fabriquer des cartons avec des formes géométriques (carrés, rectangles, losanges) de couleurs variées. Vous les séparez en deux ou plusieurs parties. Vous montrez le modèle que vous avez choisi et demandez à l'enfant de le reproduire en combinant les formes qui conviennent.

Il existe dans le commerce un grand nombre de jeux éducatifs pour enfants qui répondent aux objectifs visés ici. Si vous souhaitez en acquérir, veillez tout particulièrement à ce que ceux-ci ne comportent ni lettres, ni mots. Les jeux de dominos, les puzzles peuvent également être utilisés très efficacement.

À noter

Ces exercices ont un triple intérêt : ils développent l'aptitude à reconnaître des formes entre lesquelles les différences sont parfois peu importantes ; ils nécessitent de comprendre dans quel sens elles sont orientées ; enfin, ils stimulent activement les capacités d'analyse et de synthèse, dont le développement est un des points majeurs de l'éveil intellectuel.

Exercices de reconnaissance des formes

Pour faire exécuter les exercices, choisissez un modèle que vous placez devant l'enfant. Laissez un espace libre de plusieurs centimètres sous ce modèle et disposez en dessous les autres formes mélangées, chacune en plusieurs exemplaires. L'enfant devra placer dans l'espace resté libre toutes les formes strictement identiques à celle que vous avez choisie (forme, taille, épaisseur du graphisme, couleur, orientation). Pour les plus jeunes, présentez d'abord les dessins simples. Vous introduirez peu à peu les formes plus complexes (figures géométriques ou dessins plus abstraits).

Exemple de formes à photocopier pour disposer de plusieurs exemplaires de chaque modèle

Exercices d'identification et d'orientation des formes

L'enfant doit placer sous le modèle que vous avez isolé tous les cartons qui lui sont strictement identiques. Nous avons choisi, à titre d'exemples, trois modèles différents.

Exemple n° 1

Modèle choisi : ☺
L'enfant doit choisir, parmi tous les dessins ci-dessous, ceux qui sont strictement identiques au modèle.

L'enfant doit avoir placé sous le modèle les huit cartons identiques au modèle choisi qui figuraient dans les cartons présentés ci-dessus.

Exemple n° 2

Modèle choisi : 👉
Posez sur la table quatre ou cinq exemplaires de chacune des mains présentées ci-dessous et placées dans diverses orientations.

L'enfant doit choisir parmi tous ces cartons ceux qui sont strictement identiques au modèle que vous avez choisi (main blanche ou noire, position et orientation strictement identiques des doigts). Ce type de dessin vous permet de pratiquer un grand nombre d'exercices en modifiant le choix de votre modèle.

Modèle choisi : ▼

Placez sur la table les formes suivantes (découpées et collées sur de petits cartons carrés de 3 à 5 cm). Cet exercice est difficile pour les jeunes enfants car il faut à la fois reconnaître la taille et l'orientation des modèles. Vous pouvez augmenter la diversité des orientations en faisant varier la position des triangles et éventuellement leur couleur, et en imaginant des exercices du même type avec d'autres figures géométriques.

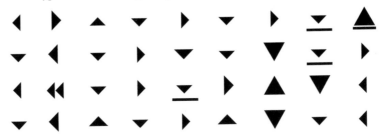

Exercices graphiques destinés à préparer l'apprentissage de l'écriture

Principes généraux

L'apprentissage du graphisme nécessite que l'on puisse reproduire des formes dans un espace à deux dimensions (celui de la feuille de papier). Pour y parvenir, il faut acquérir progressivement le contrôle de la motricité fine et un savoir-faire qui ne peut, en aucun cas, se développer correctement sans un apprentissage directif dont le premier point concerne la tenue du crayon.

Apprendre à tenir un crayon

Comme nous l'avons indiqué précédemment, la première représentation graphique de l'enfant est un gribouillage de cercles plus ou moins concentriques, qu'il exécute souvent en tenant le crayon comme un bâton sur lequel l'ensemble de ses doigts se referment.

Or, une bonne acquisition du graphisme nécessite que cette tendance naturelle chez le petit enfant fasse peu à peu place à une technique reposant sur l'optimisation de la tenue du crayon.

Il est très étonnant de constater actuellement qu'un très grand nombre d'élèves, en fin de primaire ou même en collège, tiennent leur crayon de telle manière qu'ils se fatiguent en écrivant et ne peuvent écrire rapidement. Cela constitue un lourd handicap dans des classes où il est indispensable de prendre des notes ou d'effectuer des travaux écrits en temps limité.

Il est bien évident que lorsque le jeune enfant commence à dessiner, il n'est pas question d'arrêter son élan par des conseils techniques dont il n'est pas encore capable de bénéficier, parce que son système nerveux ne lui permet pas de mobiliser ses doigts avec habileté. **Il n'y a pas d'âge précis pour débuter cet apprentissage. La meilleure solution consiste à observer l'enfant et à lui proposer de modifier la prise de son crayon pour en faciliter l'usage.** S'il n'y parvient pas, l'expérience sera reprise ultérieurement. Les premiers crayons utilisés doivent être assez gros pour en faciliter la tenue.

À noter

La position vers laquelle il faut tendre est celle-ci : saisir le crayon près de la pointe, entre le pouce, l'index et le majeur, sans crispation, en gardant une orientation de la main strictement dans l'axe de l'avant-bras.

Cet objectif est plus difficile à atteindre pour le gaucher, qui a tendance à placer sa main à angle droit par rapport à son poignet, pour mieux voir ce qu'il dessine ou écrit. Il faut faire preuve de patience avec ces enfants, car il est indispensable qu'ils parviennent à positionner correctement leur main face à l'écrit afin d'éviter ultérieurement lenteur et fatigabilité lors de l'écriture.

Après le stade des gribouillages, l'apprentissage du graphisme peut commencer, sachant qu'il faut toujours partir du plus simple pour aller au plus complexe.

Acquérir la maîtrise du graphisme

En dehors du dessin spontané que l'enfant peut réaliser sur des feuilles vierges, tous les autres exercices éducatifs doivent présenter des repères spatiaux très visibles. L'enfant doit apprendre à transcrire sur des feuilles ou, mieux encore, sur des cahiers quadrillés, les formes qui constituent les bases du graphisme de la langue écrite (points, cercles, traits, boucles, courbes). **Les premiers cahiers doivent comporter des carreaux de grande taille, eux-mêmes composés de lignes bien visibles, car l'apprentissage d'un bon graphisme ne peut se construire sans repères précis.** Il existe de nombreux modèles dans le commerce qui répondent à cet objectif.

Les petits carreaux, et à plus forte raison les rayures à faible écartement, seront réservés à l'apprentissage ultérieur de l'écriture.

La progression des exercices

Tout exercice doit être précédé d'un modèle que vous réaliserez sur le cahier de l'enfant.

Votre modèle devra être parfait et l'enfant devra le restituer en en conservant la forme et l'orientation : hauteur, taille, positionnement par rapport aux lignes et à leurs intersections, symétrie. Il est indispensable de mettre un point à l'angle inférieur gauche de chaque carreau pour que l'enfant dispose d'un repère pour commencer à tracer le modèle demandé.

Après le tracé du cercle à réaliser dans diverses dimensions, vous pouvez aborder le travail portant sur les lignes diversement orientées : de haut en bas, de droite à gauche, obliquement (penchées à droite puis à gauche).

Viendront ensuite les reproductions de formes plus complexes : traits, boucles, cercles, rectangles, triangles puis losanges. Vous pourrez, au gré de votre imagination, combiner ces formes. Mais dans tous les cas, vous devez veiller à ce que le graphisme réalisé soit construit correctement par rapport aux lignes directrices du cahier, afin que l'enfant puisse ultérieurement bien structurer son écriture.

À noter

> Lors de l'apprentissage du graphisme, les formes proposées ne doivent pas contenir de lettres.

Dans les conditions normales de l'apprentissage, l'enfant va apprendre, sur une certaine période, à discriminer les sons et à reproduire des éléments graphiques de base qui entreront ensuite dans l'écriture. Sur l'ensemble de cette période, il faut proscrire toute introduction de lettres ou de mots (tel, par exemple, l'apprentissage de l'écriture du prénom de l'enfant ou de mots souvent appelés « mots-outils » parce qu'ils sont fréquemment rencontrés). Pour des raisons que nous développerons ultérieurement, cette pratique devenue courante est source de confusions qui risquent de perturber l'apprentissage ultérieur de la lecture et de l'écriture.

Graphisme et latéralisation

Pour les enfants qui maîtrisent déjà assez bien le graphisme, il est possible d'associer exercices graphiques et latéralisation. On peut inventer des modèles destinés à réaliser des formes précises (châteaux forts, créneaux, frises décoratives) en utilisant une succession d'ordres rythmés correspondant à des actions précises à exécuter.

Les consignes suivantes pourront par exemple être utilisées : on part d'un point fixé sur la page du cahier ; on frappe une fois dans les mains, l'enfant avance d'un carreau vers la droite ; on frappe deux fois, il baisse d'un carreau ; trois fois, il recule d'un carreau sur la gauche, etc. Pour simplifier la tâche, on peut inscrire au tableau, ou en haut de la page du cahier, le geste graphique à exécuter en fonction du nombre de bâtons qui représentent les nombres de frappes. Ce jeu amuse vivement les plus grands et les oblige à la fois à mobiliser leur attention et leur connaissance de la latéralisation. Il demande de la préparation de la part de celui qui le propose, ainsi que… beaucoup d'attention.

Vous trouverez ci-dessous des modèles d'exercices, d'abord simples et plus complexes, que vous pourrez, là encore, enrichir selon votre imagination, en respectant les principes fondamentaux de la préparation à l'apprentissage de la langue écrite.

Modèles d'exercices graphiques

Le point

Les traits et associations de traits

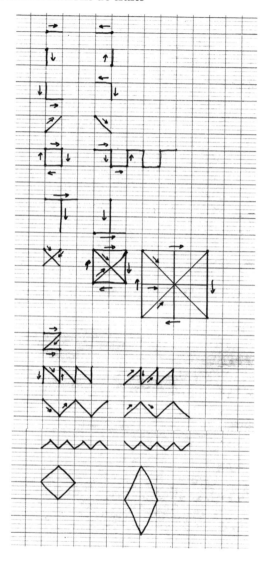

Les courbes et les boucles

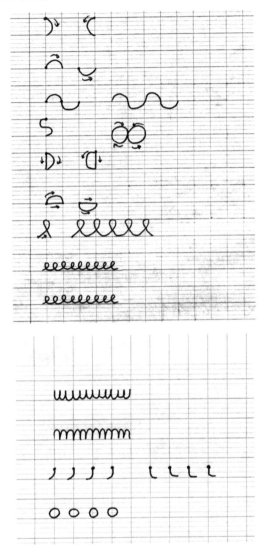

Lorsque votre enfant aura réussi l'ensemble de ces exercices ainsi que ceux décrits au chapitre précédent, il maîtrisera suffisamment la discrimination des sons et le graphisme pour pouvoir aborder de manière efficace l'apprentissage de la lecture et de l'écriture. S'il appartient au groupe de ceux qui peuvent apprendre à lire et écrire quelle que soit la méthode employée, il se trouvera dans une situation idéale pour accéder au savoir. S'il fait partie des 40 % de sujets qui peuvent être considérés comme « à risques » par rapport à cet apprentissage, vous aurez permis à son cerveau de construire, à son rythme, des circuits de qualité qu'il n'aurait pas pu réaliser sans votre aide. Il aura acquis les éléments qui lui auraient autrement fait cruellement défaut pour aborder l'apprentissage de la lecture et de l'écriture.

Cela étant, vous allez devoir faire face, comme tous les parents, au problème des méthodes d'apprentissage de la lecture. Comment vous y retrouver dans les déclarations contradictoires auxquelles vous ne manquerez pas d'être confrontés ? Nous allons maintenant vous indiquer comment identifier les méthodes à partir de critères précis.

CHAPITRE 6

LES MÉTHODES D'APPRENTISSAGE DE LA LECTURE

Au programme

- La méthode globale
- Les méthodes semi-globales, mixtes, naturelles ou par hypothèses
- Les méthodes alphabétiques/syllabiques
- Les parents doivent savoir quelle pédagogie sera proposée à leur enfant

Nous avons vu antérieurement que la nécessité de connaître le code alphabétique de la langue est une obligation incontournable pour le cerveau, qui doit comprendre les liens qui unissent les sons aux graphismes pour accéder au sens des mots.

La manière d'aborder l'apprentissage du code alphabétique de la langue constitue le seul caractère qui différencie entre elles les méthodes d'apprentissage de la lecture.

L'indispensable connaissance du code alphabétique de la langue est une réalité qui commence à apparaître dans les textes officiels de l'Éducation nationale, mais ceux-ci n'envisagent son apprentissage qu'au travers de méthodes qui en proposent la découverte par des moyens implicites. L'obligation de la connaissance du code alphabétique est à l'origine d'une confusion majeure dans l'esprit des parents. Ils pensent – et les médias ont largement concouru à cette croyance – que cette formulation constitue un gage de « retour aux méthodes alphabétiques » dans l'enseignement de la lecture. Or, seules les méthodes d'apprentissage explicite du code alphabétique méritent cette appellation. Les autres sont toutes des méthodes globales ou des dérivés de celles-ci.

Nous résumerons ici les principaux éléments qui permettront aux parents d'être en mesure de juger de la nature de la pédagogie proposée à leurs enfants et indiquerons les moyens dont ils disposent pour s'informer sur cette question primordiale.

La méthode globale

C'est la première née des méthodes d'apprentissage implicite. Elle a été créée pour remplacer les pédagogies alphabétiques considérées comme anachroniques, ennuyeuses et trop directives. Ses instigateurs ont affirmé qu'il était possible d'imposer une technique d'apprentissage permettant de lire chaque mot en entier, quelle que soit sa longueur. Ils étaient ainsi persuadés qu'ils « élimineraient la phase de décodage pour accéder directement au sens du mot lu ». Convaincus que le mot est identique à une image, ils ont affirmé – bien évidemment sans aucune preuve puisque nous savons maintenant que cette hypothèse est fausse – que celui-ci pouvait être « photographié » et que sa « silhouette graphique » serait reconnue quand l'élève le rencontrerait de nouveau.

Cette pédagogie ne fournit donc à l'enfant aucune autre aide que la lecture du texte faite par le maître. Le but de ce travail est de faire découvrir aux enfants les mots qui correspondent à ce qu'ils entendent. Au bout de plusieurs lectures, certains enfants finissent par repérer des mots, ne serait-ce que les premiers et derniers lus. À partir des découvertes successives des enfants, chacun apportant aux autres le fruit de son travail, l'ensemble de la classe doit parvenir peu à peu à « comprendre » le texte. Les initiateurs de cette méthode pensent qu'au fil du temps, le nombre de mots reconnus sera de plus en plus grand et que l'enfant deviendra capable d'extrapoler à partir de ce qu'il a vu pour découvrir des mots qu'il n'a pas « régulièrement fréquentés ».

Les difficultés générées par cette méthode, introduite en France vers 1955, et l'ampleur des échecs constatés par les enseignants qui l'ont appliquée, ont conduit beaucoup d'entre eux à abandonner assez rapidement ces pratiques. Les textes officiels actuels condamnent cette méthode globale, également appelée « méthode idéo-visuelle ». Pourtant, on peut être inquiet en prenant connaissance de cet écrit de l'un des membres les plus influents actuellement dans le domaine de la pédagogie de la langue écrite, Roland Goigoux, professeur d'université et directeur du laboratoire Sciences de l'éducation à l'IUFM d'Auvergne[1] :

« Nous montrons, par exemple, l'intérêt de prendre appui sur les textes mémorisés "par cœur" (comptines, titres d'ouvrages, extraits de récits, etc.) afin d'étudier l'organisation de la langue écrite. Débarrassés du souci de comprendre le message écrit, puisque celui-ci est connu, les enfants peuvent se consacrer à l'étude du code écrit. C'est une véritable aventure à la Champollion qu'ils entreprennent lorsqu'ils sont placés, comme le déchiffreur des hiéroglyphes, devant un message aux règles internes obscures mais dont la signification est claire. Comme Champollion, ils connaissent la signification du message et cherchent, avec l'aide de la maîtresse et du groupe, à en déduire le fonctionnement du système linguistique écrit. Tout au long de l'année, de texte en texte, l'exploration se poursuit, instituant la classe comme une communauté de chercheurs. C'est ainsi que les enfants conservent des phases initiales de l'apprentissage une idée de conquête, d'appropriation de secrets, qui conforte leur confiance en eux-mêmes et qui crée, dès le début, une connivence avec le langage écrit. C'est ainsi que nous contribuons à éviter que les premiers contacts avec le déchiffrement au cours préparatoire ne fonctionnent sur le mode de la "mauvaise rencontre" et ne conduisent à une fixation précoce d'attitudes négatives à l'égard du langage écrit. »

---

1. *Cahier pédagogique*, n° 352, mars 1997.

À quoi peut donc bien se rattacher cette pédagogie si ce n'est à la méthode globale ? Ce morceau d'anthologie a été proposé au concours d'entrée des IUFM (Instituts de Formation des Maîtres) en 2002. Il montre tout le chemin qu'il reste à parcourir pour que les exigences du fonctionnement cérébral et la supériorité de l'apprentissage explicite du code alphabétique s'imposent à l'esprit des responsables qui forment les enseignants de nos enfants !

Les méthodes semi-globales, mixtes, naturelles ou par hypothèses

Ces différentes appellations recouvrent une même réalité. Ces pédagogies, quel que soit le nom qui les caractérise, conservent toutes **le principe de base des méthodes globales : partir des ensembles (phrases et mots) pour permettre à l'enfant de découvrir dans ceux-ci le code alphabétique de sa langue.** Leur seule différence par rapport aux méthodes globales *stricto sensu* est qu'elles apportent à l'enfant une aide partielle pour atteindre cet objectif. Mais dès le début de l'apprentissage, elles proposent à l'élève des phrases dont il doit retenir « la forme des mots », comme il le ferait d'un dessin. Il doit aussi repérer des « indices » grâce auxquels il découvrira peu à peu la correspondance entre les sons et les graphismes de la langue. Ces pratiques, qui nécessitent pour réussir de ne présenter aucune anomalie dans la discrimination des sons, des formes et dans leur orientation dans l'espace, sont aussi dangereuses que les méthodes globales pour les enfants victimes de ces perturbations. Or, n'oublions pas que ceux-ci représentent environ 40 % des effectifs des classes de grande section de maternelle et de CP !

Les livres fondés sur ces principes occupent la presque totalité du marché du manuel scolaire de CP aujourd'hui. Ils sont si nombreux que les citer tous est impossible, d'autant plus qu'il en naît sans cesse de nouveaux et que nombre d'enseignants fabriquent leur propre méthode à partir d'éléments puisés dans différents ouvrages ou issus de leur créativité.

L'utilisation des méthodes semi-globales, mixtes, naturelles ou par hypothèses commence en moyenne et grande section de maternelle, sans que les parents, dans leur grande majorité, soient conscients des problèmes qu'elles engendrent.

Les instructions données aux maîtres dès la moyenne section de maternelle sont de faire « reconnaître » aux enfants leur prénom et celui des élèves de leur classe. En constatant la diversité de ceux-ci et celle de la prononciation de leurs graphèmes, qui diffèrent suivant l'origine de la langue, on conçoit la déroute des enfants qui cherchent désespérément à trouver des « indices » qui leur permettent de différencier un mot d'un autre alors que leur cerveau commence son travail de découverte des liens qui unissent phonèmes et graphèmes. Comment parvenir à comprendre les correspondances phonographémiques à partir de François, Philippe, Caroline, Kévin, Cécile, Géraldine, Gwenola, Guillaume, Georges, Jean, Ondine, Alisson, Jonathan et tant d'autres ?

Dans les classes maternelles, les enseignants doivent placer les enfants dans « un bain de lecture ». Sur le plan pratique, cela signifie que les murs de la classe doivent être couverts de textes et d'inscriptions tels que les « mots-outils », et même parfois les « phrases-repères » qu'ils doivent reconnaître. Ces éléments sont également présentés sous forme d'étiquettes que l'enfant doit savoir identifier. C'est ainsi que vos bambins de quatre à cinq ans sont confrontés à la reconnaissance des jours de la semaine et des mois de l'année, mais aussi de l'écriture en lettres des chiffres, dont le lien son/graphisme, chacun le sait, présente des particularités. **Le but attendu de ce travail est que, de découverte en découverte, chaque enfant arrive en CP avec une connaissance suffisante du code alphabétique** pour qu'une méthode d'approche semi-globale puisse lui être proposée.

À noter

> Les méthodes semi-globales, mixtes, naturelles ou par hypothèses utilisées en CP présentent des caractéristiques facilement identifiables.

Dès la première page du livre figurent des phrases

La seule différence avec les méthodes globales porte sur le fait que certains mots sont retrouvés fréquemment dans les pages du texte pour être plus facilement mémorisés.

Certains mots sont détachés du texte

Les mots isolés du texte sont placés dans un encadrement coloré ou signalés d'une manière qui permet de focaliser l'attention sur eux. Ce sont les « mots-outils » qui sont destinés à être appris, retenus et reconnus ultérieurement. Ils représentent un « capital de mots connus » qui doit s'enrichir au fil du temps.

Ces méthodes s'accompagnent d'exercices qui reproduisent ces mots sur des étiquettes. L'enfant devra les identifier et les utiliser pour construire des phrases. L'objectif n'est pas de savoir « lire » ces mots, c'est-à-dire d'en comprendre le sens après avoir identifié leur contenu graphique, mais d'être capable de les « reconnaître », ce qui n'a rien de commun avec la lecture. Nous savons que le mot n'est pas une image et, de plus, dans une langue alphabétique combinatoire soumise à des règles orthographiques, sa forme graphique varie en fonction des contingences grammaticales de cette langue (marque du genre, du nombre, terminaison des mots conjugués, etc.).

Des lettres muettes

Les phrases proposées dès le début de l'apprentissage contiennent des lettres muettes à la fin des mots. Apparaissent aussi les formes conjuguées des auxiliaires et des verbes nécessaires pour produire des phrases « porteuses de sens ».

Toutes les difficultés sont proposées sans qu'aucune explication logique puisse en être donnée. Ce type de méthode part des éléments complexes de la structure de la langue avec l'espoir que les élèves en découvriront par eux-mêmes les lois du montage. Certains auteurs, conscients des difficultés que ces pratiques engendrent, présentent les lettres qui ne se prononcent pas en utilisant des couleurs différentes, en les écrivant en plus petits caractères ou en les barrant. Dans tous les cas, l'introduction de ces lettres muettes constitue un élément perturbateur car le cerveau ne dispose pas, à ce moment de l'apprentissage, des éléments logiques qui lui permettent de trouver la solution des énigmes qu'il rencontre.

Un graphème isolé

Pour tenter de faciliter la découverte du code alphabétique, certains manuels présentent, dans chaque leçon, un graphème isolé sur lequel ils cherchent à focaliser l'attention de l'enfant. Cela rassure certains enseignants et leur donne l'illusion de pratiquer une nouvelle forme de méthode alphabétique. Les parents, à leur tour, pensent que cet ajout diminue les risques de la pédagogie employée. Or il n'en est rien, et ce pour plusieurs raisons :

- **Le graphème isolé entre dans la composition de mots que l'enfant ne connaît pas ou se retrouve souvent inclus dans des regroupements de graphèmes qui en modifient totalement le son.** Dans les phrases suivantes : « *Mon amie Annie viendra demain à la maison. Nous mangerons un bon gâteau et nous jouerons à la balançoire dans le jardin.* », comment l'enfant peut-il découvrir à quel son correspond le graphème « a » alors qu'il fait partie intégrante de la représentation de plusieurs phonèmes différents (a, ann, ain, an, eau) ? Il suffit de consulter les ouvrages les plus utilisés en CP pour constater la fréquence de cette situation. Comment l'enfant pourra-t-il comprendre que « s » se prononce « ss » dans « samedi » et « z » dans « rose », que le premier « g » de bagage se prononce « g » alors que le second correspond au son « j » ?

L'enfant arrivera peut-être à « lire » ces phrases en les répétant « par cœur », mais comment peut-on penser que la majorité des élèves réussiront cet exploit que représente la découverte du code alphabétique dans de telles conditions ? Y parviendront ceux qui disposent de bonnes aptitudes pour discriminer les sons et les formes et orienter correctement celles-ci dans l'espace, ainsi que de bonnes facultés d'analyse et de synthèse. Ils découvriront les lois du montage du code alphabétique. On ne peut qu'être admiratif devant les prouesses du cerveau qui est capable de déjouer les pièges multiples qu'on lui tend. Mais, parmi ceux qui atteignent ce résultat, combien ont reçu l'aide de leurs parents ? Les statistiques scolaires ne le disent pas et il y a fort à parier qu'ils sont beaucoup plus nombreux qu'on ne le pense dans l'Éducation nationale. Quant aux 40 % des élèves de cinq à six ans qu'il faut considérer comme étant en « situation de risque » dans l'apprentissage de l'écrit, parce qu'ils présentent des difficultés pour discriminer les sons et/ou les formes et leur orientation dans l'espace, l'échec est inévitable. Plus on avancera dans le livre de lecture, plus l'enfant commettra d'erreurs.

- **Le graphème isolé est parfois associé à un signe de l'alphabet phonétique international pour en indiquer la prononciation.** On se retrouve là dans la configuration la plus dangereuse. Ceux qui connaissent cet alphabet, très utile pour accéder à la prononciation d'une langue étrangère, savent que de nombreux signes sont des symboles presque symétriques de certaines de nos lettres ou en ont des formes assez proches, mais correspondent à une prononciation différente. L'enfant se trouve donc placé dans l'obligation d'assimiler un double symbolisme – lequel constitue, pour qui présente des difficultés de reconnaissance spatiale, un obstacle qui augmente considérablement les erreurs dues aux confusions dans l'identification des graphismes.

Parmi les méthodes actuelles, l'une d'elles mérite une mention spéciale : la « lecture par hypothèses ».

Il faut en signaler l'existence car elle gagne du terrain dans les écoles depuis quelques années. Cette nouvelle venue dans le dédale des méthodes nouvelles a pour particularité de faire reconnaître les mots à partir de la « silhouette » qu'on obtient en traçant autour de chacun d'eux un cadre qui varie selon la hauteur des lettres.

Une fois que le mot a été effacé dans le cadre, il doit être reconnu uniquement grâce à la forme du cadre vide. Cette méthode, pour le moins surprenante, doit son nom à une autre de ses caractéristiques : le maître doit accepter que le sens du texte perçu par l'enfant ne corresponde pas à ce qu'a écrit son auteur mais à l'idée que peut s'en faire le lecteur ! Au pays de Descartes, nous voici tombés dans les auberges espagnoles. On imagine sans peine quels sont les ravages que cette pédagogie génère. Souhaitons, pour l'intérêt de nos enfants, que cette élucubration intellectuelle n'ait qu'une vie éphémère !

À noter

En résumé, toutes les méthodes semi-globales, mixtes, naturelles ou par hypothèses que l'on vous présente comme un progrès parce qu'elles favorisent l'accès direct au sens, sont, sans exception, fondées sur le même principe : partir des ensembles (textes, phrases et mots) pour permettre la découverte des éléments du code alphabétique de la langue.

C'est la raison pour laquelle elles constituent toutes le même danger pour les élèves. D'une part, elles peuvent être à l'origine d'erreurs dans l'élaboration des connexions cérébrales qui unissent sons et graphismes. D'autre part, elles introduisent, dans les circuits du langage, un chaos dont la conséquence directe est de transformer la lecture en un exercice très pénible, fatigant et incapable d'apporter la moindre satisfaction : en effet, il demande un effort qui n'est pas compensé par le plaisir que fait naître la compréhension du texte. De plus, quand on connaît l'importance des conditions de l'apprentissage sur la structuration du cerveau, on comprend quelles sont les conséquences dramatiques du désordre que ces pédagogies génèrent dans des circuits dont l'importance est primordiale dans le développement de la pensée conceptuelle.

Les méthodes alphabétiques/syllabiques

Les méthodes alphabétiques (ou syllabiques) se situent dans une démarche totalement opposée aux méthodes dérivées des pédagogies globales : elles partent toujours du plus simple pour aller au plus complexe, de l'analyse pour aboutir à la synthèse.

L'apprentissage se poursuit par celui des consonnes apprises de manière explicite, dans un ordre qui peut varier suivant les ouvrages mais doit toujours répondre au même principe.

À noter

Les méthodes alphabétiques commencent par l'apprentissage des voyelles, y compris les voyelles accentuées (é, è, ê), et contiennent des mots et des phrases uniquement composés avec les éléments (les graphèmes) connus de l'enfant.

L'objectif est de permettre de produire très rapidement, dès l'introduction de la première consonne, des mots et de petites phrases, qui s'étofferont progressivement en utilisant exclusivement les éléments connus du code, associés à celui que l'enfant est en train d'apprendre. Cette technique permet ainsi de revoir sans cesse les connaissances acquises en présentant les graphèmes dans leurs différentes possibilités d'utilisation.

Contrairement à ce qu'affirment leurs détracteurs, **ces pédagogies permettent à l'enfant d'associer décryptage et compréhension.** Il est facile de le vérifier en lui demandant de formuler avec ses propres mots ce qu'il a compris. Ce résultat vient essentiellement du fait que le module supérieur du cerveau travaille à partir de données exactes que lui a transmises le module phonologique.

L'apprentissage du code alphabétique est proposé de manière explicite

Les méthodes alphabétiques correspondent très exactement à ce dont le cerveau a besoin pour lier les sons et les signes graphiques et pour que son module supérieur puisse comparer les ensembles analysés et regroupés au vocabulaire dont il dispose en mémoire. C'est ce qui explique la très nette supériorité de ces méthodes.

Nous avons indiqué précédemment comment procéder pour aider l'enfant à apprendre à prononcer correctement les mots de la langue orale ; rappelons ici que cet apprentissage doit se faire en apprenant non pas le nom des lettres de l'alphabet, mais le son qu'elles produisent dans les mots. **Le « l » ne se prononce pas « le » mais « l » comme on l'entend au début de « lapin ».**

L'apprentissage explicite du code alphabétique nécessite le recours à des techniques qui facilitent la compréhension et la mémorisation par les neurones des liens qui unissent les phonèmes et les graphèmes. Ce sont elles qui limitent considérablement le risque d'erreur dans l'acquisition du code et facilitent la construction des circuits du langage. Ces techniques, qui faisaient jadis partie du savoir-faire de tout enseignant, ne sont pas enseignées dans les IUFM et leur usage y est même totalement proscrit.

Cette situation est d'autant plus inacceptable que les méthodes alphabétiques accompagnées d'exercices adaptés facilitent considérablement l'apprentissage de la lecture et de l'écriture chez tous les enfants. Ceci est encore plus vrai pour ceux qui éprouvent des difficultés à discriminer les sons, à reconnaître et orienter les formes.

Quant aux dyslexiques, dont nous traiterons ultérieurement, ils peuvent apprendre à lire comme les autres enfants avec ces méthodes ; il suffit de ralentir la vitesse d'apprentissage et de multiplier les exercices destinés à permettre d'assimiler la liaison du son et du graphisme, qui constitue pour eux une difficulté majeure.

Beaucoup d'enfants dont le niveau intellectuel est déficient parviennent, eux aussi, à lire et comprendre ce qu'ils lisent en utilisant ces pédagogies. Enfin, n'oublions pas que **les orthophonistes utilisent des méthodes alphabétiques pour rééduquer les enfants qui présentent des difficultés dans le domaine du langage écrit.**

L'apprentissage de la lecture est associé à celui de l'écriture

Expression d'une même réalité sonore, l'écriture doit être apprise au même rythme que la lecture et, comme celle-ci, de manière explicite. La forme des lettres, les rapports de taille entre leurs différents segments ne s'improvisent pas. Il est donc indispensable de faire pratiquer des exercices pour que la forme des lettres, dans l'écriture manuscrite comme dans l'écriture d'imprimerie, soit mémorisée.

Il est stupéfiant de constater actuellement que les enfants doivent découvrir l'écriture au travers de phrases à copier dont ils ne connaissent rien des éléments qui composent la graphie des mots. On voit ainsi des bambins de trois ans s'évertuer à écrire leur prénom ou des phrases entières, en recopiant les calligraphies qu'on leur propose comme modèle, sans bien percevoir où commence et finit chaque mot et sans comprendre ce qu'ils font. On obtient des « écritures » où une lettre, ou une partie de lettre, est associée avec des segments graphiques trois ou quatre fois plus grands, qui montent ou descendent au gré de la fantaisie de l'enfant. Les modèles fournis aux plus petits sont souvent présentés en majuscules. Nous verrons ultérieurement que celles-ci ne doivent pas être apprises précocement dans l'écriture pour ne pas surcharger la mémoire. Souvent l'enfant mélange, dans le même mot, minuscules et majuscules, et colle des parties du mot suivant avec le précédent. Cela est parfaitement normal dans la mesure où il n'a aucun accès au sens de ce qu'il écrit.

Vous ne rencontrerez jamais cette approche, typiquement globale, dans l'apprentissage de l'écriture par les méthodes alphabétiques. Vous constaterez que l'écriture y est acquise avec la même démarche rigoureuse que celle qui prévaut pour la lecture ; elle est associée à des exercices qui permettent de mémoriser le lien phonèmes/graphèmes, indispensable à toute expression écrite.

Les méthodes alphabétiques, dont la naissance remonte à celle de l'écriture alphabétique, sont nées de l'observation de la nature phonographémique des langues et du simple bon sens. Elles n'ont pas eu besoin, pour être efficaces, de savoir comment le cerveau fonctionne pour en déduire la manière la plus adaptée pour apprendre. La qualité des écrits que nous ont laissés nos prédécesseurs montre qu'il n'a pas fallu attendre la seconde moitié du XXe siècle pour savoir lire et aimer lire ! Nombre d'entre nous ont pu constater que leurs grands-parents, qui n'avaient pas tous eu la chance d'aller longtemps et régulièrement à l'école, en sont sortis en lisant bien et en étant capables d'écrire avec peu de fautes d'orthographe !

À noter

L'argument sans cesse répété, selon lequel les méthodes alphabétiques étaient ennuyeuses et détournaient l'enfant de la lecture, ne résiste pas à la simple observation de la société.

Si les jeunes actuels, à quelques exceptions près, sont plus intéressés par les bandes dessinées et la télévision, c'est certes parce que ces modes d'information sont d'un accès simple, l'image étant souvent un support qui permet à lui seul de comprendre le sens de l'histoire. Mais c'est aussi parce que leurs capacités de découverte des liens qui unissent les graphismes aux sons qu'ils représentent sont trop peu automatisées pour atteindre le stade d'une lecture fluide. **Or la fluidité de la lecture permet, tout en lisant, de comprendre ce qui est lu et de mettre en mémoire les éléments importants grâce auxquels les points essentiels de la lecture pourront être retenus.** Ce manque d'automatisation des mécanismes cérébraux engendre chez les jeunes en question une fatigue qui les empêche de prendre du plaisir à la lecture. Ils ont pourtant tous appris à lire avec des méthodes dont le but était de « favoriser l'intérêt pour la lecture par l'accès direct au sens de l'écrit » ! Le résultat obtenu est aux antipodes de l'objectif fixé.

Pour constater ce fait de manière journalière, chez des enfants qui expriment clairement leur regret de ne pas lire et qui mesurent le facteur d'exclusion que ce fait entraîne, il m'est possible d'affirmer que, dans la plupart des cas, le changement de méthode, avec passage à un apprentissage strictement alphabétique, corrige rapidement cette situation. La « lecture torture » disparaît en quelques mois pour faire place au goût de lire, métamorphose qui ne manque jamais de surprendre les parents et souvent les enseignants.

Pour résumer en quelques lignes les caractéristiques principales des méthodes d'apprentissage de la lecture et de l'écriture et leurs différences essentielles, nous les présentons ici dans un tableau simple.

Les principales caractéristiques et différences de chaque méthode d'apprentissage de la lecture et de l'écriture

Méthodes semi-globales, mixtes, naturelles, par hypothèses	Méthodes alphabétiques
Découverte implicite du code alphabétique	Apprentissage explicite du code alphabétique
Textes ou phrases dès les premières pages du livre	Apprentissage commençant par les voyelles (y compris avec accents)
Mots-outils isolés dans la phrase, séparés du texte Ces mots doivent être appris et « reconnus » dans d'autres phrases	Introduction des consonnes une par une Choix de la progression étudié pour permettre de lire très rapidement des mots et des phrases
Introduction de nouveaux mots-outils choisis selon les besoins des phrases	Mots et phrases uniquement composés avec les graphèmes connus et ceux qu'on apprend
Présence de graphèmes à retenir dans chaque leçon Pas de logique dans l'introduction des graphèmes	Les acquisitions mettent en jeu la connaissance du lien entre phonèmes et graphèmes Pas de mémorisation de la forme du mot
Découverte du sens des mots par formulation d'« hypothèses de sens »	Aucun mot n'est appris « par cœur » Aucune hypothèse de sens n'est tolérée
Graphèmes mélangés à d'autres, inconnus à ce moment de l'apprentissage, favorisant également la lecture « par hypothèses »	La progression se fait sur des acquis solides et permet de revoir sans cesse les différentes combinaisons phonologiques

Méthodes semi-globales, mixtes, naturelles, par hypothèses	Méthodes alphabétiques
Introduction d'un graphème avec des signes graphiques qui en modifient le sens phonologique Par exemple : a, au, aux, an, eau, eaux	Utilisation du graphème étudié dans des mots dont les autres graphèmes sont connus ; élimination des mots dans lesquels le graphème est associé à d'autres graphèmes qui en modifient le sens phonologique

À noter

Quelle qu'elle soit, une méthode alphabétique sera toujours supérieure à une méthode qui conduit l'enfant à découvrir seul le code alphabétique de la langue.

Cependant, lorsqu'on analyse aujourd'hui les méthodes alphabétiques encore disponibles sur le marché du livre (certaines ont été récemment rééditées pour répondre à la demande de parents totalement déroutés par les échecs de leurs enfants), on peut faire à leur sujet quelques remarques.

Ces pédagogies étaient destinées à être employées par des maîtres qui savaient que, pour qu'un enfant parvienne à mémoriser le lien qui unit les sons et les signes qui les représentent, il faut ajouter à la leçon de lecture proprement dite tout un travail qui constitue la valeur ajoutée indispensable du pédagogue. **Faites pour des enseignants, ces méthodes perdent une grande part de leur efficacité lorsqu'elles sont utilisées par des parents qui manquent de conseils pour en tirer le meilleur parti.**

Des choix contestables

Certains choix pédagogiques retenus dans les méthodes alphabétiques sont contestables.

Les séparations entre les syllabes

Dans une des méthodes les plus employées, les syllabes de chaque mot sont séparées par des espaces. Cette présentation demande un balayage visuel plus large et augmente ainsi le nombre des saccades oculaires qui doivent couvrir le mot. Or, plus les saccades sont nombreuses pour atteindre la fin du mot, plus le lecteur débutant éprouve de difficultés pour mémoriser les éléments qui le composent. D'autre part, pour certains enfants, ces séparations perturbent la découverte du début et de la fin des mots et conduisent à une lecture syllabique qui ne devient que tardivement fluide.

Le mélange des différentes transcriptions d'un phonème

Nombre de méthodes alphabétiques proposent, dans la même leçon, tous les graphèmes complexes correspondant à un seul phonème. Par exemple, on apprend en même temps « au, aux, eau, eaux », « in, ain, un, um », « an, en, am, em, amm, emm », etc. Cela constitue un handicap pour l'apprentissage ultérieur de l'orthographe.

L'apparition de mots comprenant des lettres muettes

Nombreuses sont les méthodes alphabétiques qui incluent des lettres muettes à la fin des mots. Certains auteurs, bien conscients du problème que celles-ci posent au lecteur, présentent des solutions pour minimiser cette difficulté. L'utilisation de lettres en calligraphie plus petite, de lettres barrées ou de couleurs différentes, en fait partie. Ces pratiques sont regrettables car elles cassent la logique de l'apprentissage chez l'enfant, qui ne comprend pas pourquoi certaines lettres doivent être prononcées à la fin des mots, comme le « s » de « as », et ne le sont pas dans d'autres, comme le « s » dans « repos ».

L'apparition de lettres en écriture manuscrite sur le livre destiné à l'enfant

Si l'on procède, parallèlement à l'apprentissage de la lecture, à celui de l'écriture, celui-ci est réservé à l'écriture produite par l'enfant sur son cahier mais ne doit pas, à notre avis, figurer dans un livre où elle n'a pas de raison d'être.

Une présentation chargée

La présentation des ouvrages alphabétiques est souvent très chargée, parfois confuse, contenant beaucoup d'informations dans la même page, ce qui enlève de la clarté dans l'apprentissage des données proposées. La présence d'images et de couleurs constitue un danger pour des raisons que nous évoquerons ultérieurement. Leur caractère souvent désuet, leur contenu un peu décalé par rapport à la vie actuelle, fournissent des arguments faciles à leurs détracteurs. Or ces inconvénients sont sans commune mesure avec les dangers majeurs que représentent, pour un pourcentage très élevé d'enfants, les méthodes qui leur sont actuellement proposées.

À noter

Il est possible d'élaborer des méthodes alphabétiques modernes qui ne soient pas un retour vers le passé mais prennent en compte les réalités du fonctionnement cérébral tel que nous pouvons le comprendre aujourd'hui. Ce sont elles qui représentent les véritables méthodes « modernes ».

Elles peuvent éliminer les inconvénients des méthodes dites « anciennes » et permettent d'optimiser les apprentissages pour que l'enfant se construise des circuits cérébraux qui l'aideront, encore mieux que dans le passé, à structurer sa pensée conceptuelle. Nous verrons cela par la suite.

Cela étant, quelle que soit la méthode alphabétique choisie, elle présentera toujours une supériorité évidente sur les autres pédagogies : celle de permettre un apprentissage explicite du code alphabétique.

Les parents doivent savoir quelle pédagogie sera proposée à leur enfant

Vous disposez à présent des principaux éléments susceptibles de vous permettre de distinguer entre les méthodes utilisées dans l'établissement où vous avez décidé de scolariser votre enfant. **Il faut maintenant vous forger votre propre opinion sur la pédagogie à laquelle votre enfant sera soumis**, sans vous contenter des informations que pourront vous donner les uns et les autres.

Bien des parents, comme nous l'avons signalé précédemment, sont mal informés et confondent méthodes alphabétiques et semi-globales. Certaines méthodes – et parmi elles de récentes – se présentant comme alphabétiques sont cependant imprégnées de pratiques semi-globales et mélangent avec habileté des critères phonologiques avec un apprentissage implicite du code alphabétique. Elles concourent à entretenir une grande confusion dans les esprits. C'est pour clarifier cette question que nous vous avons présenté un tableau récapitulatif des points principaux que vous devez impérativement connaître pour porter un jugement lucide sur la pédagogie proposée à votre enfant.

Cette ambiguïté produit le même trouble chez les enseignants, qui ne savent pas toujours dans quel type de méthodes classer certains ouvrages. Comment oublier ce qu'affirmait aux parents le directeur d'un grand établissement privé : « *Vous pouvez nous confier vos enfants en toute sécurité car nous utilisons une méthode alphabétique.* » ? La méthode en question était l'une des deux méthodes semi-globales les plus employées en France depuis un certain nombre d'années. Ne mettant nullement en doute la bonne foi de ce directeur, il nous faut en conclure qu'il ne savait pas faire la différence entre une méthode alphabétique et une semi-globale. Si cette anecdote mérite d'être citée, c'est parce qu'elle reflète, hélas, une situation fréquente. Vous retrouverez ce discours dans les réunions de classe ouvertes aux parents, où l'on vous expliquera que si le livre est, en apparence, d'inspiration globale ou semi-globale, cela est sans importance dans la mesure où on lui adjoint l'apprentissage des graphèmes.

Dans ce domaine délicat, qui met les nerfs des enseignants à fleur de peau, les maîtres vivent souvent ce questionnement comme une ingérence dans leur domaine réservé du choix pédagogique, auquel les parents, à leurs yeux, ne doivent pas avoir accès.

Votre volonté, pourtant très légitime, de connaître la méthode employée dans l'école de votre enfant ne posera aucun problème dans les établissements qui utilisent de vraies méthodes alphabétiques, car ils savent qu'ils sont dans la droite ligne de l'attente des parents. Par contre, il n'en sera pas de même dans les écoles qui abordent la lecture par d'autres voies.

Si l'on vous dit d'emblée qu'on utilise une méthode semi-globale ou mixte parce qu'elle offre aux enfants les avantages des deux types de pédagogies réunis, vous savez à quoi vous attendre. Mais, le plus souvent, on vous répondra que « toutes les méthodes se valent et que la différence vient uniquement de la manière dont les enseignants les utilisent », ce qui ne doit en aucune manière vous tranquilliser. Devant votre insistance, on finira par vous répondre : « *Nous commençons par un peu de globale pour retenir l'intérêt de l'enfant, qui a ainsi dès le début de la lecture accès au "sens du texte", mais nous revenons très vite à l'alphabétique.* » Là aussi, vous saurez que votre enfant sera soumis à une pédagogie mixte, avec tous les risques que celle-ci comporte.

Quelles que soient les réponses qu'on vous apporte, **demandez à voir le livre de lecture dont disposera votre enfant ou les feuillets sur lesquels il travaillera si le maître utilise des fiches qu'il crée lui-même.** Il y a de fortes chances pour que votre requête suscite alors un agacement mal dissimulé chez votre interlocuteur. S'il accède cependant à votre demande, votre opinion sera faite en regardant les premières pages du livre.

Vous devez donc fonder votre propre jugement non sur ce que l'on vous dit mais sur ce que l'on est en mesure de vous montrer.

Il ne vous restera plus alors qu'à prendre vos responsabilités en toute connaissance de cause. Il est inutile d'espérer faire valoir vos connaissances et encore plus de tenter de convaincre les enseignants du bien-fondé de votre désir de voir votre enfant apprendre à lire avec une méthode alphabétique. Tout débat en ce sens est sans issue et dangereux parce qu'au lieu de rester au niveau d'un échange technique, il évolue immanquablement vers un affrontement polémique où aucune donnée scientifique n'est prise en compte. Vous n'avez que deux solutions possibles : accepter ce qu'on vous propose ou chercher une autre école.

Reste à savoir si vous pourrez trouver l'établissement qui répond à vos souhaits. Malheureusement, l'enseignement public étant soumis à la carte scolaire, il est fort probable que vous deviez scolariser votre enfant dans l'école de votre quartier, que celle-ci vous satisfasse ou non. Restent les établissements privés qui ont passé un contrat d'association avec l'État. Ceux-ci sont de plus en plus sollicités mais ne peuvent pas répondre à toutes les demandes car ils sont limités par la loi dans leurs possibilités d'expansion. En effet, chaque fois qu'ils ouvrent une nouvelle classe, il leur faut en supprimer une autre. De plus, beaucoup de ces établissements appliquent les mêmes méthodes que l'enseignement public car ils sont soumis aux mêmes contraintes d'inspection. **Il existe donc bien peu d'écoles véritablement « libres » de leurs choix pédagogiques. Ce sont des établissements hors contrat qui ne reçoivent aucun financement d'État.** Les prix de leur scolarité y sont donc élevés et l'éducation y comporte fréquemment un contenu religieux qui peut ne pas convenir à vos propres convictions.

La dernière solution envisageable est d'assurer vous-mêmes l'« école à la maison ». C'est une possibilité qui n'est réalisable que si l'un des parents n'exerce pas de profession et est capable d'assumer cette tâche avec rigueur et sérénité. Un dispositif nouveau se développe actuellement en France : il s'agit de regroupements de familles qui associent leurs efforts pour donner elles-mêmes les cours à leurs enfants.

Qu'il s'agisse d'une seule ou de plusieurs familles, la sagesse, dans ce cas, conduit à inscrire les enfants à un cours par correspondance. Cela permet d'avoir un guide pour suivre le programme de l'année scolaire concernée, tout en gardant une totale liberté de choix pédagogique. Le deuxième avantage de cette inscription est de mettre les parents à l'abri d'une inspection. Cela ne signifie pas qu'il faille choisir un subterfuge pour éviter ce contrôle, qui est normal dans la mesure où l'État a instauré la scolarité obligatoire jusqu'à seize ans et doit s'assurer que tous les enfants en bénéficient. Vous n'avez rien à en craindre si vous pouvez fournir les preuves du travail effectué par votre enfant.

Selon les témoignages des parents qui ont « subi » des inspections, le climat en est parfois pénible dans la mesure où l'inspecteur vient souvent accompagné d'un conseiller pédagogique et d'un psychologue scolaire. Les résultats qu'il constate chez les enfants étant le plus souvent de bien meilleure qualité que ceux qu'il rencontre dans les écoles au même niveau scolaire, il s'abstient en général de critiquer ouvertement le travail des enfants. Par contre, il ne manquera certainement pas de condamner les méthodes pédagogiques employées, même si elles fournissent d'excellents résultats, et d'attirer votre attention sur la responsabilité que vous prenez en privant votre enfant de l'intérêt sociologique de l'école, qui est l'élément majeur de l'« éducation à la citoyenneté ». Il vous fera également part des risques de développement de troubles psychologiques chez votre enfant, privé des apports, essentiels à ses yeux, de la vie d'une classe.

Vous pourrez facilement faire valoir que l'école n'est pas le seul lieu d'apprentissage de la vie sociale et que le mode de travail que vous avez choisi de pratiquer avec votre enfant lui laisse beaucoup de temps pour participer à des activités très diversifiées, sportives ou culturelles, où il côtoie d'autres enfants et se trouve confronté à des rapports sociaux riches et épanouissants.

Avant de faire état des caractéristiques optimisées de l'apprentissage de la lecture, de l'écriture puis de l'orthographe, nous envisagerons la possibilité que votre enfant rencontre des difficultés scolaires sans que vous en compreniez vraiment les raisons. Pour trouver les bonnes réponses afin de l'aider le plus efficacement possible, il faut d'abord se poser les bonnes questions. C'est l'objectif du chapitre suivant.

CHAPITRE 7

L'ÉCHEC DE LA LECTURE, DE L'ÉCRITURE ET DE L'ORTHOGRAPHE

Au programme

- Les principaux signes de l'échec des apprentissages fondamentaux au cycle 2
- Repérer les difficultés liées à un mauvais apprentissage de l'écrit au cycle 3 et au collège

Parmi les nombreuses causes de l'échec scolaire, on retrouve très souvent des déficits majeurs dans la maîtrise de la langue écrite. Avant d'envisager les principales causes de ceux-ci, nous indiquerons les signes qui doivent éveiller la vigilance des parents et les amener à s'interroger sur les compétences de leur enfant dans la pratique de l'écrit.

Tout au long de l'année scolaire, que ce soit en CP ou plus tardivement, un certain nombre de signaux s'allument qui doivent attirer l'attention sur les difficultés qu'éprouve un enfant à acquérir la lecture et l'écriture, puis, ultérieurement, l'orthographe. Ces signes révélateurs, nombreux et variés, sont souvent difficiles à rattacher à leur véritable origine. Pour vous y aider, nous évoquerons ceux qui sont le plus fréquemment rencontrés.

Les principaux signes de l'échec des apprentissages fondamentaux au cycle 2

Ce cycle comprend la grande section de maternelle, où débute désormais l'apprentissage de la lecture, le CP et le CE1. C'est à ce niveau que l'échec est le plus difficile à dépister car il est souvent masqué sous des signes trompeurs.

Le désintérêt pour la vie scolaire et les répercussions comportementales de l'échec

L'enfant qui, en début de CP, était heureux d'aller en classe, semble peu à peu se désintéresser de l'école

Alors que l'enfant manifestait son envie de lire, lui faire exécuter sa lecture du soir devient de plus en plus pénible. En raison du nombre de ses erreurs, vous avez l'impression qu'il se moque de vous et manque d'attention. En effet, il lui arrive de bien lire un mot dans une phrase et de ne pas pouvoir le déchiffrer dans une autre. Plus le temps passe, plus les difficultés s'accentuent. Votre enfant lit de plus en plus mal. Souvent, vous constatez qu'il ne peut cesser de s'agiter en lisant : il balance les pieds, se tord les mains, fait tomber son crayon, se lève, continue à lire debout. Au fil des jours, la situation se dégrade et la question de l'école devient entre vous un sujet conflictuel.

D'autres enfants, au contraire, deviennent angoissés

Certains élèves qui fournissent d'énormes efforts pour suivre la classe et réussir à lire manifestent une forte anxiété. Celle-ci peut se traduire par des réactions très variées qui ont pour principale caractéristique de s'atténuer largement et même de disparaître pendant les vacances, sauf quand la reprise de la classe est imminente. Cela peut prendre la forme de plaintes diverses qui orientent d'abord vers des anomalies d'origine organique : douleurs abdominales, vomissements, refus d'alimentation, surtout le matin. Mais il peut aussi s'agir de troubles évoquant des perturbations du comportement qui n'existaient pas antérieurement : rejet de l'école, agitation, instabilité croissante, colères, repli sur soi, difficultés relationnelles, insomnies ou cauchemars.

Comment ne pas citer, pour concrétiser cette situation, le cas de cet enfant de CP qui s'endormait mal et, chaque nuit, s'asseyait dans son lit et répétait en parodiant sa méthode de lecture : « Ratus est un rat, bello est un chat. » – puis éclatait en sanglots en disant : « C'est trop dur, je n'y arriverai jamais ! »

Les lecteurs qui inventent

L'enfant « lit » sa lecture du soir en regardant ailleurs, tourne les pages avant d'en avoir terminé la « lecture », ou « lit » ce qu'il ne voit pas encore sur la page suivante. Il lui arrive d'inventer une histoire sans rapport avec le texte, en s'appuyant sur les mots qu'il est parvenu à identifier. Si vous lui proposez de lire une page qu'il a déjà vue, il peut être incapable d'y parvenir. Parfois, à partir d'un mot ou d'une image qui le met « sur la piste », il vous répète une phrase qui lui revient en mémoire mais qui n'a aucun rapport avec ce qu'il est censé « lire ». En fait, l'enfant ne lit pas mais récite « par cœur » des lignes dont il se souvient comme d'un poème.

Un exemple vécu est, à ce sujet, très significatif. Voyant en consultation une enfant de CP, incapable en février de lire quoi que ce soit d'autre que les articles sur le texte que je lui présentais, je lui ai demandé de choisir la page qu'elle souhaitait lire dans son livre de classe. L'enfant s'est arrêtée sur une page où un dessin montrait un chat regardant un poisson rouge dans un bocal placé sur une table. Le chat s'intéressait visiblement au poisson. Le texte inscrit sous le dessin indiquait : « Le chat va attraper le poisson rouge. » Après beaucoup d'hésitations, la petite fille s'est écriée « J'ai trouvé ! » et a « lu » la phrase suivante : « Le chat veut apprendre à nager ! »

Alors que les méthodes semi-globales ont été créées pour « faciliter l'accès au sens de la lecture », le résultat obtenu est strictement inverse !

La souffrance des enfants

Quand les parents sont confrontés aux difficultés de leur enfant, ils sont blessés par cet échec. Ils ont tendance à penser qu'il est seul dans cette situation et qu'il en est responsable. Ils font souvent peser sur l'enfant une forte pression pour le « stimuler », dans l'espoir que se produise enfin ce « déclic » dont les enseignants attendent la venue. Les parents considèrent que leur enfant refuse l'effort, est inattentif en classe et ne s'intéresse qu'au jeu. Cette attitude est humainement compréhensible. Pourtant, quand on rencontre, chaque jour, des élèves qui vivent cette expérience douloureuse, on acquiert une vision très différente de ce problème.

Dans leur très grande majorité, les enfants en échec vivent dans un univers de souffrance dont les adultes n'ont que rarement conscience. Personnellement, **je n'ai jamais rencontré d'enfants qui ne voulaient pas apprendre à lire, même quand ils faisaient preuve d'une forte tendance à l'opposition,** car ce savoir les fait sortir du monde des « petits » et les valorise. L'accès à la connaissance, la curiosité intellectuelle sont des aspirations que l'on retrouve, à des degrés divers, chez tous les enfants. Dès que l'enfant parvient à se faire comprendre, il pose des questions multiples sur le monde qui l'entoure. L'intérêt pour le travail scolaire n'échappe pas à ce besoin de savoir. Mais si, lors de ses premiers contacts avec l'écrit, l'enfant ne parvient pas à comprendre la clé de ce nouvel univers après avoir essayé pendant un certain temps de démêler les fils de cet écheveau inextricable, il risque de prendre conscience de son incapacité à réussir et de se décourager. La tâche proposée devenant de plus en plus difficile chaque jour, il entre alors dans la spirale de l'échec, dont il ne parviendra pas à sortir sans aide. Il perd confiance en lui et refuse d'exécuter tout ce qui peut mettre en évidence sa situation d'infériorité.

Il est particulièrement triste, et malheureusement fréquent aujourd'hui, d'entendre des enfants de CP – mais aussi de grande section de maternelle puisque l'apprentissage de la lecture commence à cet âge – exprimer plus ou moins clairement le fait qu'ils n'ont rien à attendre de l'avenir puisqu'ils sont incapables de réussir en classe, ou que personne ne les aime « parce qu'ils sont nuls ». Certains, surtout ceux dont les parents ne comprennent pas ce qui arrive, vivent dans un climat de détresse qui engendre de multiples troubles du comportement qu'il est indispensable de rattacher à leur cause si l'on veut mettre fin à cette situation inacceptable.

C'est à ce moment qu'il faut éviter les erreurs de diagnostics, particulièrement lourdes de conséquences, qui conduisent à confondre les perturbations qui sont la conséquence des difficultés de l'enfant avec celles qui en sont la cause. **Les troubles psychoaffectifs peuvent certes être une des causes des difficultés d'apprentissage de l'écrit, mais, comme nous le verrons ultérieurement, ils en sont bien plus souvent la conséquence.** Devant tout élève en échec dont le comportement se dégrade, quel que soit son âge, la première question qui se pose est donc de savoir s'il maîtrise ou non l'usage de sa langue par écrit.

Les caractéristiques « techniques » qui signent un mauvais apprentissage de la langue écrite au cycle 2

En dehors des problèmes comportementaux, on retrouve des caractéristiques identiques chez tous les élèves en difficulté dans l'apprentissage de la lecture, de l'écriture et dans la restitution de l'oral par écrit.

La lecture manque de fluidité

Souvent lente, la lecture est pratiquement toujours hachée, hésitante, avec retour en arrière sur de nombreux mots pour tenter d'en découvrir le sens. La ponctuation est rarement respectée et l'intonation reste souvent monotone.

Les erreurs sont nombreuses

On constate des modifications de mots avec lecture de lettres qui ne s'y trouvent pas, ou l'oubli de certains graphèmes. Des confusions très fréquentes portent sur les lettres phonologiquement proches (b/d/p/q ; f/v ; ch/s/ss/z) ou symétriques les unes des autres (b/d/p/q, mais aussi n/u et donc on/ou, an/au, etc.).

Ces confusions peuvent être de fréquence irrégulière. L'enfant peut lire correctement un mot dans une phrase et ne pas y parvenir dans une autre.

Parfois l'enfant corrige lui-même ses fautes parce que les autres lettres du mot lui permettent de deviner ce qu'il ne parvient pas à lire. Dans d'autres cas, il est contraint d'inventer un mot pour pouvoir poursuivre sa lecture. S'il en a perçu le sens d'ensemble, il peut trouver un synonyme, mais le plus souvent le mot inventé est totalement inadapté au contexte, ou est même ce qu'on nomme un « non-mot », c'est-à-dire un terme inconnu de la langue. Dans ce cas, l'enfant compromet beaucoup ses chances de compréhension du texte. On mesure l'impact que peut avoir cette anomalie dans la lecture d'énoncés de problèmes en mathématiques ou lors de questions posées par écrit aux élèves.

Lorsque les erreurs sont nombreuses et que la lecture est lente, cela signifie que le module phonologique du cerveau n'est pas en mesure de transmettre des données suffisamment valables au module supérieur pour qu'il parvienne à rattacher ce mot à un terme connu de son répertoire. La compréhension n'est plus possible.

La lecture est trop rapide

L'enfant lit sans faute, rapidement, respecte la ponctuation et adapte le ton au sens du texte. Cela signifie qu'au moment où il lit, les deux modules du cerveau exercent correctement leur travail. Mais, lorsqu'on arrive à la fin du texte, on s'aperçoit que l'enfant est incapable d'en faire le résumé, même de manière très succincte. Ce phénomène s'explique de la manière suivante : au moment de la lecture, les mécanismes de compréhension s'opèrent normalement, mais les éléments lus ne parviennent pas à être stockés en mémoire car la lecture des mots suivants efface celles des précédents.

Au cours du CP, beaucoup d'enfants donnent l'impression de lire alors qu'en réalité, ils récitent par cœur ce qu'ils ont appris dans la journée. Pour mettre en évidence leurs capacités en lecture, il suffit de repérer plusieurs mots qui ont déjà été vus et de les montrer à l'enfant dans d'autres phrases de son livre qu'il n'a pas encore étudiées en classe. Il est également possible de découper des lettres écrites en caractères d'imprimerie contenues dans les mots que l'enfant a déjà rencontrés et de bâtir de nouveaux mots avec ces lettres. Si l'enfant est capable de lire correctement ces mots, c'est qu'il parvient à découvrir seul le code alphabétique. Dans le cas contraire, vous aurez la preuve que votre enfant ne s'adapte pas à la méthode qui lui est proposée et il est très probable que la situation s'aggravera au fil des jours.

À noter

En fin de CP, il est important de vous assurer des connaissances en lecture de votre enfant.

Il suffit pour cela de lui demander de lire à voix haute un texte simple, sans images, qu'il n'a jamais lu et que personne ne lui a lu auparavant. La lecture doit en être fluide, même si elle reste lente et présente quelques erreurs. L'enfant doit pouvoir, en fin de lecture, formuler ce qu'il a compris. S'il y parvient, il sait lire et perfectionnera son savoir en CE1. Mais vous pouvez avoir la désagréable surprise de constater que l'enfant commet de multiples erreurs, ne peut déchiffrer que quelques mots et est incapable de comprendre le sens du texte. Pourtant, votre enfant passera en CE1 à la rentrée suivante. Il faut savoir que les recommandations officielles ne demandent pas que l'enfant sache lire pour passer en CE1, qui est considéré comme la classe destinée à poursuivre l'apprentissage de la lecture. D'autre part, le redoublement du CP est maintenant déconseillé et ne se pratique qu'à titre exceptionnel. Cela dit, en CE1, l'enfant est confronté à des consignes écrites sur le tableau, doit réaliser des devoirs et savoir noter son travail sur son cahier de textes. Comment y parviendra-t-il s'il ne sait ni lire ni écrire ?

L'écriture

L'écriture des enfants qui maîtrisent mal la langue écrite est en général d'une qualité très médiocre. La cause de cette situation débute en maternelle. Nous avons déjà indiqué que, dans la plupart des cas, les enfants sont maintenant entraînés à reproduire par écrit, dès leur plus jeune âge – souvent dès la petite section de maternelle –, leur prénom ainsi que des mots écrits au tableau, alors qu'ils n'ont pas appris à former des lettres. Ils ne connaissent ni les segments qui composent la lettre ni les proportions qu'il faut leur donner. En grande section de maternelle, ils apprennent à assembler des suites de symboles dont ils ne connaissent pas l'équivalence sonore. Ils écrivent souvent en mélangeant majuscules d'imprimerie et lettres manuscrites et, lorsqu'ils tentent d'écrire « en attaché », ils ne savent pas où commence la lettre et comment doit se dérouler le graphisme dans l'espace. Par exemple, ils commencent souvent le « a » manuscrit par un cercle fréquemment dessiné de bas en haut et lui accolent une tige, pas toujours collée au corps de la lettre, qui débute au hasard par le bas ou le haut. Il en est souvent de même pour les lettres contenant des formes arrondies ou des boucles. Parfois, les différentes parties des lettres « attachées » sont abordées de manière telle que les boucles des unes rentrent dans la structure des autres, rendant la lecture des mots impossible.

Enfin, il est fréquent que les enfants de maternelle apprennent à écrire sur des feuilles ne comportant ni lignes ni repères. Ils tracent les « mots-outils » qu'ils doivent « apprendre » à reproduire sans avoir la notion de leur positionnement sur la feuille de papier, ni celle des proportions des lettres entre elles. L'enfant doit découvrir l'écriture par tâtonnement, comme il le fait pour le code alphabétique dans la lecture !

Cette situation se poursuit au CP et bien au-delà. Beaucoup d'enfants entrent au collège avec une écriture au graphisme anarchique, faite de lettres souvent illisibles, y compris par celui qui les a écrites.

La traduction de l'oral par écrit

Pour la plupart des élèves qui ont appris le code alphabétique de manière implicite, la production d'un texte écrit est un exercice presque irréalisable. Les erreurs, très nombreuses, qui portent sur les correspondances entre graphèmes et phonèmes, sont la conséquence d'un apprentissage non réussi du code alphabétique. Lorsque cette première étape de l'apprentissage de l'écrit se solde par un échec, les neurones qui entrent dans la construction de ces immenses réseaux interconnectés destinés à permettre le traitement grammatical de l'information orthographique de base ne parviennent pas à se structurer correctement. Ils ne peuvent que suggérer des hypothèses et des solutions approximatives qui ne permettent pas la production correcte d'un texte.

Il est donc indispensable que les parents, informés de cette réalité, **prennent soin de vérifier par eux-mêmes la qualité des connaissances en lecture et en écriture de leur enfant, en cours et en fin de CP,** pour pouvoir réagir à temps s'il fait partie du groupe de ceux qui ne parviennent pas à lire et écrire avec ces méthodes semi-globales, mixtes, naturelles ou par hypothèses.

Repérer les difficultés liées à un mauvais apprentissage de l'écrit au cycle 3 et au collège

Chez le grand enfant, on peut retrouver des signes identiques à ceux qui affectent l'enfant plus jeune dans le domaine de la lecture et de l'écriture, aussi bien du point de vue du comportement que des caractéristiques techniques concernant la lecture, l'écriture et la production écrite de textes.

Les résultats des évaluations publiées au fil des années par le ministère de l'Éducation nationale font apparaître la faiblesse des compétences dans la maîtrise de la langue écrite à la fin du cycle 2, mais aussi chez les élèves qui entrent en 6ᵉ. Cela explique pourquoi les enseignants sont de plus en plus nombreux à déclarer leur incapacité à assurer les cours demandés par les programmes : ils se trouvent en effet devant un nombre considérable d'élèves qui ne peuvent pas s'y intéresser, uniquement parce qu'ils ne maîtrisent pas les notions les plus élémentaires de la langue écrite.

À noter

Un élève qui ne sait pas lire en CE2, CM1, CM2 (le cycle 3) ou au collège est incapable, quelles que soient sa bonne volonté et son intelligence, d'apprendre ses leçons et de réaliser correctement des exercices écrits.

Chez les adolescents ou les adultes, les problèmes se posent souvent différemment. Nombre d'entre eux sont parvenus, avec de grandes difficultés, à comprendre les principales correspondances entre graphèmes et phonèmes, même s'ils sont encore victimes de nombreuses confusions. Ils parviennent à compenser leurs erreurs soit en sautant le mot qu'ils ne peuvent lire, soit en lui substituant un terme qui leur semble convenir au sens général du texte. Par contre, bien peu d'entre eux ont acquis le goût de lire. Tant que l'apprentissage n'est pas parvenu à automatiser les mécanismes de la lecture, lire est pénible, fatiguant et rébarbatif. Leur intérêt pour les activités scolaires liées à l'écrit est donc très limité. À l'opposé, **un bon apprentissage de la lecture, qui permet une bonne compréhension du texte, donne dès le début le goût de lire.** Celui-ci s'accentue au fur et à mesure de l'automatisation de la lecture.

La difficulté majeure des grands enfants, des adolescents ou des adultes réside dans la dysorthographie qui accompagne pratiquement toujours les difficultés d'acquisition de la lecture et de l'écriture. Ces élèves sont souvent accusés d'inattention ou de paresse, d'autant plus que leurs erreurs sont aléatoires. Il leur arrive d'écrire correctement un mot dans lequel ils commettront des fautes quelques lignes plus loin. Il est souvent difficile pour les parents et les enseignants de comprendre que ces enfants souffrent d'un handicap qui n'a pas été corrigé précocement et qu'ils ne peuvent surmonter seuls sans une aide adaptée.

Dans les classes primaires, la pratique de la dictée a beaucoup diminué. Elle est souvent déconseillée aux enseignants, sous prétexte qu'il s'agit là d'un exercice décourageant et pénalisant pour les élèves. Certes, la dictée est avant tout un élément d'évaluation des connaissances. Elle ne peut, en elle-même, être source d'apprentissage, sauf si le maître profite de cet exercice pour expliquer les règles de grammaire, de conjugaison et d'usage liées à chaque mot en en faisant l'analyse systématique. Malheureusement ce travail n'est que rarement exécuté. La technique actuellement préconisée est la « dictée à l'adulte ». Ce sont les élèves qui dictent au maître un texte qu'ils inventent. Celui-ci l'écrit au tableau en expliquant l'écriture des mots.

À ces pratiques surprenantes s'ajoute l'amenuisement des horaires affectés à l'étude du français. En ce qui concerne les horaires réservés à cet apprentissage, un élève de CM2 d'aujourd'hui a reçu dans sa scolarité primaire 630 heures de moins que celui de 1968. En fin de collège, dans le meilleur des cas, un élève de 3e a perdu deux années entières de formation en français par rapport à celui d'il y a trente ans[1].

Pourtant, devant cette situation, des personnes supposées bien informées, quand ce n'est pas le ministre de l'Éducation nationale en personne, ne cessent de nous répéter que « le niveau monte ». Certes, le contenu des programmes proposés aux élèves s'enrichit au fil des ans. Mais en quoi cela est-il une garantie d'élévation des compétences ? Ce n'est pas ce que prouvent deux évaluations que les parents doivent connaître : celle du « scandale du Brevet 2000 » et la dictée soumise aux élèves de seconde par les professeurs regroupés dans le collectif « Sauver les lettres ».

---

1. Source : « Sauver les lettres », www.sauv.net.

En juin 2000, le scandale de la dictée du nouveau Brevet fit la une d'un des grands quotidiens, qui révélait à la fois le contenu de ce texte et les barèmes établis pour en faire la correction. Cette dictée ne contenait que 63 mots alors que, jusqu'en 1999, aucune ne comprenait moins de 150 mots. Le pire ne résidait pas là mais dans les barèmes de correction imposés aux enseignants. Ils devaient attribuer 1/2 point pour 13 mots du texte écrits correctement : « mais », « à », « aimait », « ces », « pitié », « tous », « sont », « orphelins », « gîte », « était », « parce qu' », et la marque du pluriel dans « enfants » et « dignes ». Ensuite, les correcteurs pouvaient enlever 1/2 point par mot mal écrit à condition que le total des points enlevés ne dépasse pas… 2 ! Cela se passe de commentaires ! Ému par les réactions qui suivirent ce désastre, le ministère de l'Éducation nationale annonça, une fois de plus, que la maîtrise du français serait la priorité des années à venir. Le collectif « Sauver les lettres » prit alors l'initiative de proposer à 1 724 élèves qui entraient en seconde en 2000, dans des établissements très diversifiés, une dictée donnée au Brevet des collèges en 1988 et corrigée avec les barèmes utilisés jusqu'en 1999. 30 % des élèves obtinrent entre 10 et 20, et 28 % eurent 0 sur 20. En 2004, le même collectif proposa la même dictée, corrigée avec le même barème, à 2 298 élèves entrant en seconde : 30 % des élèves obtinrent, comme en 2000, entre 10 et 20, mais 56,5 % eurent 0/20, soit deux fois plus qu'en 2000. Ces résultats prouvent l'efficacité des mesures prises par l'Éducation nationale et montrent ce qu'il en est de la montée du niveau des élèves !

Or, chez tout élève en difficulté, qu'il soit écolier, collégien, ou lycéen, plus l'échec se concrétise, plus les répercussions comportementales de cette situation sont redoutables.

Si l'enfant, incompris par son entourage, subit de plus une forte pression destinée à le stimuler alors qu'il est incapable de remédier seul à ses problèmes, on s'avance vers des conflits majeurs dont les conséquences peuvent être dramatiques parce que ce jeune, qui se sent exclu du savoir, risque de tomber dans tous les pièges que l'adolescence ne manquera pas de lui tendre.

Cette description, qui correspond malheureusement à des faits trop souvent constatés, n'a pas pour but de décourager les parents mais, au contraire, de les aider à prendre conscience que leur enfant peut rencontrer des difficultés dont ils n'ont pas vu clairement l'origine. Une fois informés, ils seront alors en mesure de lui apporter des solutions qui correspondront à ses vrais besoins et de l'aider à combattre ses handicaps efficacement.

CHAPITRE 8

LES CAUSES D'ÉCHEC DANS L'APPRENTISSAGE DU LANGAGE ÉCRIT

Au programme

- L'enfant présente-t-il des déficits sensoriels ?
- Quel est le niveau intellectuel de l'enfant ?
- Les enfants dyslexiques
- Les échecs dus aux difficultés socio-familiales et psychoaffectives de l'enfant

Il n'est pas question de présenter ici la liste exhaustive des situations qui engendrent l'échec scolaire mais d'apporter des informations sur celles qu'il m'a été donné de rencontrer au cours de trente ans d'exercice professionnel.

Pour identifier la cause de l'échec d'un enfant dans le domaine de l'apprentissage de l'écrit, il est indispensable de faire un point précis de sa situation physique, intellectuelle et affective. Un certain nombre de recherches doivent être menées pour répondre à quatre questions fondamentales :

- L'enfant présente-t-il des déficits sensoriels ?
- Quel est son niveau intellectuel ? Dispose-t-il d'une intelligence inférieure, moyenne ou supérieure à la moyenne ?
- L'enfant est-il dyslexique ?

- L'enfant souffre-t-il de perturbations d'origine psychoaffective ?

Une fois obtenues les réponses à ces interrogations, il sera possible de proposer des solutions d'aide efficaces, adaptées à chaque type de difficulté.

L'enfant présente-t-il des déficits sensoriels ?

Les déficits auditifs et visuels sont fréquents. Il est donc prudent de faire pratiquer un audiogramme et un bilan ophtalmologique chez tout enfant présentant des difficultés scolaires.

Quel est le niveau intellectuel de l'enfant ?

Il est très important de savoir si l'enfant en difficulté se situe dans la moyenne, bénéficie d'une intelligence supérieure à la moyenne ou est victime d'un déficit intellectuel.

On ne peut avoir les mêmes exigences ni proposer les mêmes remèdes à l'échec chez celui qui se situe en dessous de la moyenne et chez un élève qui présente des capacités intellectuelles très élevées. On ne peut pas, non plus, exiger les mêmes performances d'un enfant qui ne réussit pas en mathématiques parce qu'il est en difficulté au niveau de sa pensée conceptuelle, et de celui qui a des aptitudes importantes en ce domaine mais ne travaille pas ou ne parvient pas à les utiliser efficacement.

Dans bien des cas, les résultats scolaires ne permettent pas de se faire une idée exacte du niveau intellectuel d'un enfant. Certains, considérés comme des « cancres », ont un esprit brillant alors que d'autres, longtemps têtes de classe, voient leurs résultats baisser régulièrement au fil des années. On découvre souvent que, chez ces derniers, les difficultés s'accompagnent d'un déficit des facultés d'abstraction qui leur rend moins accessible un enseignement au contenu plus théorique.

Comment mesurer l'intelligence et qui peut pratiquer cette mesure ?

Le problème de la mesure de l'intelligence est une question délicate en France. Elle permet pourtant d'apporter à l'enfant une aide adaptée à ses possibilités.

Les échelles d'intelligence (ou tests psychométriques) mesurent les trois aspects de l'activité intellectuelle :

• **l'intelligence conceptuelle**, qui regroupe les capacités d'abstraction, de raisonnement, d'analyse et de synthèse ;
• **l'intelligence sociale**, qui caractérise la facilité d'un sujet à s'adapter à des situations nouvelles, le bon sens, la curiosité intellectuelle, l'ouverture d'esprit ;
• **l'intelligence pratique**, qui concerne les possibilités d'adaptation à des tâches à contenu technique (ou artistique), ainsi que l'adaptation au symbolisme graphique.

Les échelles de Wechsler, les plus employées, constituent un des meilleurs outils de mesure en ce domaine. Elles ont l'avantage d'offrir des versions adaptées à tous les âges de la vie. Utilisables à partir de deux ans et demi, elles peuvent fournir des informations essentielles chez le jeune enfant, mais aussi chez l'adolescent qui cherche à savoir s'il est ou non capable de suivre avec succès les études qu'il envisage.

Les étalonnages de ces tests et des épreuves qu'ils contiennent (les sub-tests) sont d'une grande fiabilité. Ils sont établis par des équipes de statisticiens à partir d'un nombre très élevé de cas et révisés environ tous les dix ans pour les actualiser. Pour les épreuves qui nécessitent une réponse orale, la qualité de la syntaxe n'entre jamais en ligne de compte dans la notation, afin de ne pas pénaliser les sujets qui savent répondre à la question posée mais maîtrisent mal l'expression orale de la langue.

Le constat auquel on parvient est une estimation qui rend compte d'une situation limitée à l'époque où l'épreuve est proposée, mais l'expérience prouve que les résultats obtenus à certains sub-tests permettent de se forger une idée assez précise de l'évolution intellectuelle future du sujet testé. De très grandes variations dans les résultats des différents sub-tests permettent souvent de mettre en évidence des aptitudes spécifiques ou de dévoiler des carences flagrantes.

Une des difficultés auxquelles on se heurte en ce domaine vient de la confusion qui existe entre la notion d'égalité telle qu'elle est conçue sur le plan philosophique et juridique, et le fait que les hasards de la génétique créent des individus tous différents les uns des autres. Il n'existe pas un « gène de l'intelligence » ; le patrimoine génétique de chaque être humain contient une multitude de facteurs qui le conduisent à retenir, dans tout ce qui l'entoure, des éléments non identiques pour construire ses réseaux de neurones. Des enfants élevés au sein d'une même famille peuvent ainsi être très différents. Dans le domaine de la lecture, certains peuvent s'adapter aux méthodes semi-globales qui leur ont été proposées alors que d'autres, avec les mêmes pédagogies, se trouvent en échec total. C'est la raison pour laquelle **les échelles d'intelligence fournissent des renseignements précieux pour comprendre un enfant, un adolescent ou un adulte en difficulté.**

Comment se répartit l'intelligence dans la population ?

Dans une population, quelle qu'elle soit, les résultats des évaluations des aptitudes intellectuelles se répartissent selon une courbe de Gauss, avec 50 % des sujets situés dans la moyenne, 25 % en dessous et 25 % au-dessus. Plus on se rapproche des extrémités de la courbe, plus le nombre de sujets concernés est faible.

Les familiers des échelles d'intelligence de Wechsler savent que celles-ci sont d'une grande précision et que leurs résultats sont indépendants de l'examinateur. Le quotient intellectuel est une valeur obtenue à partir des résultats des différents sub-tests présentés en deux groupes : les tests verbaux, qui, comme leur nom l'indique, nécessitent l'usage du langage oral ; les tests de performance, qui conduisent le sujet à trouver une solution à une situation dans laquelle l'usage du langage est inutile. Le quotient intellectuel est une valeur statistique qui rend compte de l'ensemble des aptitudes que présente un sujet.

Les différents niveaux d'intelligence

À titre indicatif, les quotients intellectuels d'une population se répartissent ainsi :

Les retards mentaux

QI < 60 : 0,4 % des cas.

QI < 70 : 2 % des cas.

Les cas limites

QI compris entre 70 et 79 : 7 % des cas.

La zone moyenne faible

QI compris entre 80 et 89 : 16 % des cas.

La zone moyenne

QI compris entre 90 et 109 : 50 % des cas.

La zone moyenne supérieure

QI compris entre 110 et 119 : 9 % des cas.

La zone supérieure

QI compris entre 120 et 129 : 11 % des cas.

La zone très supérieure

QI > 130 : 5 % des cas.

QI > 140 : 2 % des cas.

QI > 145 : 1 % des cas.

Ces mesures peuvent être pratiquées par des psychologues, des médecins (généralistes, pédiatres, pédopsychiatres, neurologues formés à ces techniques), ainsi que dans certains centres de pédiatrie et de neurologie des hôpitaux.

Si certains continuent à décrier le fait de mesurer l'intelligence, les attitudes face à cette question changent depuis qu'est intervenue la notion d'« enfant précoce ». En effet, pour définir la précocité, il faut bien disposer d'une valeur de référence et donc d'un outil de mesure adapté. La nécessité d'évaluer le niveau intellectuel des élèves s'en trouve ainsi désormais mieux acceptée.

Avant d'envisager ce que recouvre le terme d'« enfant précoce », nous allons nous intéresser à ceux qui présentent un déficit des fonctions intellectuelles.

Les enfants de niveau intellectuel faible

Les causes des déficits intellectuels sont multiples. Toutes les circonstances qui peuvent entraîner une souffrance cérébrale (maladies génétiques, infectieuses ou virales, drogues diverses y compris l'alcool et le tabac, traumatismes obstétricaux, prématurité, etc.) peuvent avoir des répercussions sur le développement intellectuel de l'enfant à des degrés très divers de gravité.

Dans les déficiences graves, la prise en charge par des équipes multidisciplinaires ne dispense pas les parents d'intervenir, dans la mesure de leurs possibilités, pour aider le développement psychomoteur de leur enfant.

Dans les déficiences légères, le problème est d'une tout autre nature. Il est souvent difficile de faire la différence entre un enfant qui refuse le travail parce qu'il n'en comprend pas encore l'intérêt et celui qui s'y oppose parce qu'il sait qu'il est incapable de réussir ce qu'on lui demande.

L'enfant intellectuellement déficient est souvent victime d'un comportement mal analysé par son entourage. Lent pour comprendre, il réalise difficilement ce qu'on lui demande d'exécuter. Ayant du mal à suivre le rythme des explications, il a tendance à regarder ce que fait son voisin ou s'arrête de travailler quand il perd pied. La tentation est forte de le classer parmi les élèves inattentifs et paresseux, d'autant plus qu'il parvient parfois à réussir ce qui lui est demandé puis échoue ultérieurement dans la réalisation du même type d'exercice. Au travail déjà très lourd en classe, où il est souvent privé de récréation pour terminer ses devoirs ou revoir ses leçons, s'ajoutent celui qui doit être fait à la maison et, trop souvent hélas, des suppléments imposés par les parents pour tenter de le faire progresser plus rapidement. Ses difficultés, prises pour de la mauvaise volonté, créent une situation conflictuelle dans laquelle il accumule paroles désobligeantes et punitions, et ne dispose plus du temps de détente indispensable à son développement. Il est alors engagé dans une spirale qui génère une très forte anxiété, laquelle entrave à son tour le développement de l'enfant et le marginalise tous les jours un peu plus. Il se sent de plus en plus mal aimé et développe des difficultés comportementales qui s'ajoutent à ses autres problèmes.

En général, l'évaluation de ses aptitudes améliore cette situation en la clarifiant. Elle permet d'adapter les exigences aux possibilités de l'enfant. Aimer un enfant, c'est savoir l'accepter tel qu'il est et agir afin de lui donner un maximum de chances de progresser. Lui demander plus qu'il ne peut donner est pour lui une source de souffrance parce qu'il sait qu'il ne pourra jamais, quels que soient ses efforts, combler les souhaits de ses parents.

Pour aider un enfant intellectuellement déficient, il faut apprendre à le stimuler tout en respectant ses limites.

Cette attitude positive est la seule qui puisse lui permettre de progresser. L'attention des parents doit s'accompagner d'une grande vigilance car les autres membres de sa fratrie, y compris ceux qui sont plus jeunes, peuvent réussir plus facilement que lui les tâches proposées et obtenir dans l'ensemble de leur travail des résultats auxquels l'enfant intellectuellement plus faible ne peut prétendre. Il faut donc éviter que l'enfant ne se sente inférieur aux autres. L'enfant le plus faible a ses propres qualités, qu'il faut savoir découvrir et mettre en valeur pour qu'il puisse prendre confiance en lui grâce à ses réussites dans les domaines où il est performant.

Les parents doivent également admettre que si l'enfant a besoin de temps supplémentaire pour comprendre, assimiler et réaliser une tâche, il faut lui laisser l'accomplir à son rythme.

Chez l'enfant déficient intellectuellement, plus encore que chez tous les autres, l'usage de pédagogies qui répondent aux attentes du cerveau est une obligation incontournable pour faciliter le plus possible le travail.

Multiplier chez ces enfants les exercices proposés dans cet ouvrage pour faciliter l'acquisition du langage oral, puis écrit, leur permettra de se créer peu à peu des circuits cérébraux stables.

Il est intéressant de rendre compte du fait qu'il a été possible à des parents d'apprendre à lire à plusieurs enfants dont le quotient intellectuel se situait entre 60 et 70, ainsi qu'à des trisomiques de niveaux divers. Il ne s'agit pas ici de glorifier une belle performance, mais de faire comprendre aux parents qu'avec des procédés pédagogiques efficaces, exécutés très scrupuleusement chaque jour pendant deux à trois ans, il est possible à des enfants présentant un déficit intellectuel sévère d'apprendre à lire, à écrire et à reproduire correctement sous la dictée des phrases simples à contenu concret.

Enfin, pour ceux dont il a été possible de mesurer le quotient intellectuel par un bilan psychométrique réalisé en début et en fin d'apprentissage, on a pu montrer concrètement qu'une évolution positive s'était produite. Ces enfants avaient gagné, dans l'ensemble, cinq à dix points de quotient intellectuel, ce qui est un acquis important[1].

Il est bien évident que plus le chiffre des aptitudes de l'enfant est faible, plus la tâche sera difficile. Mais, en dehors des cas extrêmes, quel que soit le niveau de l'enfant ou de l'adolescent, des progrès sont possibles à condition qu'à côté des mesures de rééducation, qui s'avèrent absolument nécessaires, les parents s'impliquent dans des actions éducatives complémentaires dont l'importance est souvent déterminante pour l'avenir de l'enfant.

Les enfants intelligents et les enfants doués

À l'opposé des niveaux faibles dans la courbe de Gauss, se trouvent les enfants dont l'intelligence est supérieure à la moyenne, parmi lesquels on classe les « enfants précoces ».

On parle en général de précocité quand le quotient intellectuel est égal ou supérieur à 125. Le terme d'« enfant précoce » est significatif de la conception que notre pays se fait de l'intelligence. Au moment où l'enfant est testé, il se situe parmi les plus performants dans son groupe d'âge. Le choix même du terme « enfant précoce » confère à cet état un caractère éphémère. Parle-t-on d'« adultes précoces » ? Bien évidemment non. Faut-il en déduire que la précocité est l'expression d'une capacité intellectuelle passagère, réservée à l'enfance, qui disparaîtra à l'âge adulte, ou refuse-t-on simplement de reconnaître qu'un enfant, comme un adulte, peut présenter une intelligence de niveau élevé ?

Les estimations des échelles d'intelligence se gardent bien de parler de précocité. Elles déterminent dans quel groupe statistique se situe un sujet au moment où il est testé. La mesure de

---

1. Les étalonnages de ces bilans sont réalisés de telle manière que l'élévation des chiffres n'est pas liée aux évolutions dues à l'âge du sujet, mais à la variation de ses capacités.

l'intelligence est une donnée qui peut certes évoluer dans le temps. Mais l'expérience montre que ces variations sont relativement modérées. Il est exceptionnel, en dehors de cas pathologiques entraînant une souffrance ou des traumatismes psychiques graves, que des sujets présentent des variations très importantes de leur QI. L'enfant de six ans qui dépasse de trente points la moyenne gardera, dans la très grande majorité des cas, un niveau équivalent à l'adolescence et à l'âge adulte. L'enfant dit « précoce » a toutes les chances de se retrouver parmi les adultes intelligents de demain. C'est pourquoi nous parlerons ici d'enfants intelligents ou doués et non d'« enfants précoces », formulation qui recouvre une réalité sémantique restrictive.

Les caractéristiques de l'enfant intelligent et doué varient fortement en fonction des personnalités, mais aussi des niveaux atteints. Les réactions, les centres d'intérêts, les capacités de conceptualisation ne sont pas identiques chez un enfant qui a un quotient intellectuel de 120 ou 125 et chez celui dont le QI dépasse 140. Mais il existe cependant des constantes dans les comportements, qui se retrouvent, à des degrés divers, chez un grand nombre de sujets dont l'intelligence est nettement supérieure à la moyenne.

La richesse de vocabulaire

Les enfants intelligents disposent en général d'un vocabulaire riche. Ils l'utilisent dans des phrases dont la syntaxe devient assez rapidement correcte. Certes, l'action du milieu familial joue sur ce point un rôle important, mais les enfants intelligents qui vivent dans des milieux où l'expression orale est limitée sont capables de disposer d'un vocabulaire beaucoup plus riche que celui de leur famille. Cela est dû au fait que l'intelligence permet au sujet qui en est pourvu de très bien tirer parti de tous les contacts dont il bénéficie. On mesure là à quel point le rôle de l'école est déterminant, en particulier pour les enfants défavorisés, qui doivent pouvoir y trouver les moyens d'expression susceptibles de leur permettre de progresser, en particulier en enrichissant leur vocabulaire.

La curiosité intellectuelle

Les enfants intelligents présentent des centres d'intérêt variés et font preuve d'une grande curiosité intellectuelle.

Leurs préoccupations sont souvent différentes de celles des enfants de leur âge (est-ce cette caractéristique qui justifie le terme de « précocité » ?). Leur culture est souvent riche. Ils acquièrent des connaissances développées sur tous les sujets qui les intéressent, soit par l'intermédiaire des contacts qu'ils établissent avec d'autres personnes, soit à travers les médias, et surtout les livres lorsqu'ils maîtrisent la lecture. Il est essentiel, pour que l'enfant ne perde pas ses capacités, de lui laisser assouvir son besoin d'apprendre, même si ses choix sont très décalés par rapport à ce qu'il doit réaliser sur le plan scolaire.

La capacité d'abstraction

Ces enfants ont facilement accès aux données abstraites. Ils n'ont pas besoin, pour comprendre, des artifices concrets introduits pour rendre accessibles aux autres élèves les données abstraites. Plus leur niveau est élevé, plus ce genre d'explications les ennuie. Passant très vite des hypothèses aux conclusions, ils ont tendance, lorsqu'ils arrivent au collège ou au lycée, à ne pas justifier suffisamment leurs réponses parce que leur raisonnement les conduit à la solution en gommant les étapes intermédiaires. Travaillant vite, bien que souvent de manière superficielle, ils acceptent mal la « lenteur » des autres et deviennent facilement agités et perturbateurs en classe pour occuper leur temps libre.

La contestation

Dans leurs domaines de compétences, les enfants intelligents acquièrent souvent des connaissances qui leur permettent parfois de contester les explications de leurs professeurs si celles-ci leur semblent inexactes ou incomplètes. La situation est d'autant plus critique que les enfants doués respectent uniquement le savoir et ne considèrent pas que le statut d'enseignant est, en soi, suffisant pour garantir la supériorité du professeur. S'ils disposent d'arguments susceptibles de prouver l'erreur commise par l'enseignant, ils trouvent normal d'en faire état et injuste qu'on puisse sanctionner leur attitude.

Raisonneurs et souvent redresseurs de torts, ils ont une tendance à faire la leçon aux autres. Leur esprit logique les conduit à refuser les contraintes imposées dont ils ne comprennent pas la raison d'être. Ils se rebellent contre l'autorité arbitraire. Par contre, accessibles au raisonnement, ils peuvent facilement exécuter ce qui leur est demandé si cela leur paraît justifié.

Ce que doivent faire les parents d'un enfant doué

D'abord se réjouir

L'intelligence, comme toute autre aptitude de haut niveau, est un cadeau de la nature qu'il faut savoir reconnaître et cultiver. L'enfant doué exige plus qu'un autre de son entourage, surtout quand il dispose d'une personnalité affirmée. Mais **c'est un être « normal » qui, comme tous les enfants, a besoin d'être « élevé »**, c'est-à-dire de trouver dans sa famille des possibilités de développement aussi bien sur le plan physique, affectif et intellectuel que spirituel, pour les familles engagées en ce domaine. La tâche est souvent lourde pour les parents, qui doivent mettre tout en œuvre pour que cet enfant puisse continuer à développer ses aptitudes sans poser de problème aux autres membres de sa fratrie.

Ne pas croire et faire croire à l'enfant doué qu'il est un cas unique, et lui apprendre à s'intégrer dans la vie familiale et sociale

Il est vrai que s'il existe un très petit pourcentage d'enfants dont le QI est très élevé, environ 20 % des enfants, tout en étant intelligents, ne sont pas pour autant de jeunes prodiges. **Quel que soit son niveau, l'enfant doit en être informé**, ne serait-ce que pour mieux comprendre ses réactions face aux autres et comprendre celles des autres face à lui. Il faut aussi qu'il sache que sa situation ne lui donne pas tous les droits mais lui confère aussi des devoirs, comme, par exemple, celui d'accepter les autres tels qu'ils sont et de fournir les efforts nécessaires pour s'intégrer dans une société qui ne lui sera pas toujours favorable et avec laquelle il devra composer.

S'il supporte mal les contraintes, il faut lui expliquer les raisons qui motivent les exigences éducatives qu'on lui impose. Cela suffit, en général, pour désamorcer les conflits. Si tel n'est pas le cas, il faudra alors définir au sein de la famille les principes essentiels que chaque enfant doit respecter, et ne pas transiger sur ces points importants. Par contre, il faut en limiter le nombre car on ne peut raisonnablement tout demander en même temps. Si l'éducation devient un carcan dans lequel toutes les exigences sont placées au même niveau, l'enfant vivra plus ou moins mal, dans son jeune âge, cette situation à laquelle il ne peut échapper, et des conflits majeurs apparaîtront à l'adolescence. **Il faut donc, dans la mesure du possible, faire comprendre à l'enfant, par le dialogue, où se situent les frontières de l'acceptable et de l'interdit.** Cela est d'ailleurs vrai pour tout enfant quel que soit son niveau intellectuel.

Apprendre à l'enfant doué le sens de l'effort

C'est peut-être dans la facilité avec laquelle ils acquièrent des connaissances que se situe le plus grave danger qui menace les enfants intelligents. Habitués à comprendre rapidement, ils ne savent pas ce qu'est l'effort intellectuel dans les domaines qui ne les passionnent pas. Si leurs résultats scolaires sont très bons sans qu'il leur soit nécessaire de se donner du mal, les enfants doués arrivent souvent à un niveau élevé d'études sans savoir ce que signifient les mots « travail » et « effort ». Lorsqu'il leur faudra aborder des études très sélectives où ils se trouveront avec des élèves possédant un niveau intellectuel identique ou supérieur au leur, ils risquent de vivre des situations délicates dans lesquelles leur intelligence ne leur permettra plus, à elle seule, de triompher. Il faudra savoir la mobiliser avec rapidité et efficacité.

C'est là qu'intervient l'entraînement lié à l'exécution d'exercices répétitifs. Il est très important de faire comprendre cette réalité à l'enfant intelligent, dès les plus petites classes. Cela ne signifie pas qu'il faille le surcharger d'exercices inutiles et limiter ses temps de loisirs, mais **il faut l'inciter à faire son travail correctement et de manière approfondie sans laisser s'installer aucune carence**. Si l'enfant doué ne comprend pas cette nécessité, il risque d'éprouver ultérieurement de graves difficultés et ne pas parvenir à réaliser ce que ses dons lui permettaient d'espérer.

Savoir que l'enfant intelligent ou doué n'est pas obligatoirement un bon élève

L'intelligence n'est pas en elle-même un passeport pour la réussite. Certains enfants d'intelligence très supérieure obtiennent des résultats scolaires médiocres, voire catastrophiques. Parfois la raison en est simple : ce qu'on leur propose est si éloigné de leurs centres d'intérêt qu'ils n'y portent aucune attention. Il faut alors leur faire accepter l'idée que, pour pouvoir utiliser leurs aptitudes plus tard dans la voie qu'ils auront choisie, il leur faut d'abord triompher des étapes qui peuvent leur paraître inutiles mais qui doivent cependant être exécutées de manière parfaite pour qu'ils puissent affronter des obstacles ultérieurs.

Savoir que même les plus brillantes intelligences ne sont pas à l'abri des difficultés qui perturbent l'acquisition de l'écrit

De nombreux parents considèrent que, dans la mesure où leur enfant est intelligent, tout lui est possible. Ils font alors peser sur lui, en cas d'échec, une pression excessive.

Comme leurs camarades, les enfants d'intelligence supérieure peuvent éprouver des difficultés à identifier les sons, à reconnaître l'orientation des formes et appréhender le symbolisme graphique, de sorte qu'ils peuvent s'avérer incapables d'apprendre à lire et à écrire avec les pédagogies actuellement utilisées. Ils peuvent aussi être dyslexiques. Les enfants intelligents atteints de ces perturbations se retrouvent dans une situation très traumatisante car personne ne comprend pourquoi ces élèves brillants à l'oral sont incapables de présenter un travail écrit correct. Accusés de paresse ou de mauvaise volonté, ils entrent dans un cycle infernal qui peut devenir catastrophique. Ils se renferment sur eux ou deviennent agressifs, ce qui ne fait qu'amplifier les conflits. La recherche d'une dyslexie ou d'une difficulté d'adaptation à la pédagogie proposée pour l'apprentissage de l'écrit est alors une nécessité absolue et doit être mise en œuvre très rapidement si l'on veut éviter une aggravation majeure des troubles associés.

Les enfants dyslexiques

Tous les enfants qui lisent mal, écrivent mal et commettent de nombreuses fautes d'orthographe ne sont pas dyslexiques. La dyslexie touche 3 à 5 % de la population.

À noter

La dyslexie est une affection génétique qui génère des difficultés persistantes dans l'apprentissage de la lecture, de l'écriture et de l'orthographe, chez des enfants normalement scolarisés, ne présentant pas de déficits sensoriels ou intellectuels.

Cette définition, dont chaque mot a son importance, est très proche de celle du professeur Debray-Ritzen. Les facteurs génétiques de la dyslexie s'expriment trois fois plus souvent chez les garçons que chez les filles. On peut maintenant rattacher ces perturbations à des modifications visualisables sur le cerveau lors d'une IRMf.

Le diagnostic de dyslexie ne peut pas être posé rapidement. Il est normal que tout enfant qui commence à lire et écrire commette des erreurs dans l'acquisition du lien qui unit les phonèmes aux graphèmes qui les représentent. Il faut attendre plusieurs mois et la persistance systématique des mêmes types d'erreurs avant d'envisager ce diagnostic.

La découverte de la dyslexie est plus aisée lorsque la pédagogie fournit à l'enfant de manière explicite le code alphabétique de la langue. Dans ce cas, seuls les enfants dyslexiques éprouvent des difficultés d'apprentissage persistantes. Par contre, lorsque la pédagogie conduit à la découverte implicite du code, se retrouvent confrontés au même échec les véritables dyslexiques et les enfants qui, sans être victimes de l'ensemble des perturbations dont souffrent les dyslexiques, sont cependant en grande difficulté. On se trouve alors devant une situation ambiguë dans laquelle il devient presque impossible de différencier les dyslexiques des mauvais lecteurs.

De même, chez les enfants présentant des déficits sensoriels ou intellectuels, il n'est pas possible de mesurer la part qui revient à ces déficits dans l'évaluation des difficultés d'apprentissage de l'écrit.

La dyslexie est une pathologie qui porte sur tous les aspects du langage écrit : lecture, écriture, orthographe. Si elle ne touche pas le langage oral, en revanche certaines perturbations dans l'acquisition de celui-ci peuvent être des signes annonciateurs de cette pathologie : il en est ainsi des retards d'acquisition de la parole ou d'une difficulté persistante de prononciation et de discrimination des sons.

La dyslexie s'accompagne d'anomalies anatomiques cérébrales

Grâce aux techniques d'exploration du cerveau dont nous disposons désormais, nous savons que la dyslexie se caractérise sur le plan neurologique par des anomalies dans la répartition des centres du langage dans le cerveau. Les publications les plus récentes sur cette question (2004-2005) montrent que ces anomalies anatomiques s'atténuent et disparaissent même complètement après une rééducation phonologique bien menée. Ces découvertes sont fondamentales au moins pour deux raisons.

En premier lieu, elles apportent la preuve que **la dyslexie authentique n'est pas irrécupérable et que les dyslexiques peuvent, comme les autres, réussir des études en rapport avec leurs capacités intellectuelles,** à condition de suivre des rééducations adaptées et de se voir proposer des méthodes pédagogiques susceptibles de corriger leurs perturbations. Ce point est important car le diagnostic de dyslexie est souvent considéré par les parents comme le synonyme d'une scolarité médiocre et la menace d'une exclusion scolaire précoce.

L'enfant dyslexique peut corriger les perturbations dont il est atteint par des mesures pédagogiques adaptées mais il a besoin, pour y parvenir, de l'aide et du soutien de son entourage.

Le second point, lui aussi d'une importance capitale, apporte la preuve tangible que **la manière dont on propose un apprentissage au cerveau a une incidence directe sur son anatomie en modifiant la répartition des aires cérébrales et des circuits qui les unissent.** Ceci explique pourquoi, à côté des capacités propres que la génétique apporte à chacun, l'environnement façonne la structuration du cerveau de l'enfant par les stimulations qu'il exerce sur lui. Les parents, mais aussi les enseignants, disposent donc d'un pouvoir d'une importance capitale qui confère toute sa noblesse à leur action éducative. Mais ce pouvoir leur donne aussi une responsabilité majeure car ils doivent être conscients que s'ils commettent des erreurs, celles-ci auront un impact négatif sur le développement du cerveau des enfants dont ils ont la charge.

Tandis qu'on ne cesse de parler du principe de précaution dès qu'on envisage un éventuel risque pour la société, force est de constater que rien n'est fait avant l'entrée au CP, alors qu'une visite médicale est théoriquement obligatoire à cet âge pour dépister les élèves « à risques » dans le domaine de l'apprentissage de la lecture. Or ces bilans existent. Ils ont été mis au point par le laboratoire Cogni-Sciences de Grenoble[1] pour dépister les facteurs de risques prédictifs de difficultés scolaires et proposer des moyens de préventions et de traitement. Ils ne sont cependant pas utilisés.

---

1. 30, rue Marcelin-Berthelot, 38000 Grenoble.

Il est vrai qu'on voit mal comment une institution qui ne reconnaît pas l'existence des facteurs neurologiques dans l'apprentissage de la langue écrite pourrait mettre en place des mesures de prévention à leur égard !

Là encore, c'est aux parents que revient la responsabilité de faire pratiquer ce dépistage par les orthophonistes, les médecins (généralistes, pédiatres, pédopsychiatres ou neurologues formés à ces techniques) et les services spécialisés de certains hôpitaux.

Sur le plan pratique, le seul intérêt que présente la mise en évidence d'une vraie dyslexie par rapport à un défaut d'apprentissage de la langue écrite est de nature législative. Les élèves dont la dyslexie est médicalement reconnue peuvent obtenir, au titre d'un handicap, l'attribution d'un tiers-temps lors des examens et concours.

Les signes de la dyslexie

Les signes qui permettent le repérage de la dyslexie sont identiques à ceux que présentent les enfants souffrant de difficultés dans l'apprentissage de l'écrit. Nous avons signalé précédemment que les retards dans l'apparition de la parole et les difficultés dans la prononciation des mots, la discrimination des phonèmes, la reconnaissance des formes et de leur orientation dans l'espace, constituent des signes d'alarme et qu'ils doivent être le plus rapidement corrigés car mieux vaut prévenir que guérir. C'est la raison qui nous conduit à **conseiller à tous les parents de faire pratiquer à leurs enfants les exercices proposés**. Ceux qui auront la chance de ne pas présenter de difficultés dans ces domaines apprendront à maîtriser ces connaissances avec une grande habileté. Les autres peineront sans doute un peu lors des premiers exercices mais parviendront cependant à se construire, à leur rythme, les structures indispensables à la réussite dans l'apprentissage de l'écrit.

Les échecs dus aux difficultés socio-familiales et psychoaffectives de l'enfant

Comme nous l'avons déjà indiqué, le cerveau dispose à la naissance d'un potentiel qui est propre à chaque individu et est héréditaire. Cependant, c'est par l'influence des stimulations extérieures que se construisent les circuits qui vont unir des aires cérébrales dont la spécialisation permet à une fonction de se réaliser dans de bonnes ou moins bonnes conditions.

Les facteurs d'environnement à prendre en compte dans les difficultés scolaires

De nombreux enseignants, devant l'échec d'un élève, se tournent d'abord vers le psychologue, persuadés que l'enfant ne réussit pas parce qu'il présente des troubles affectifs. C'est le message délivré par les IUFM. Il est parfois exact, mais cette vision du problème n'est fondée que sur des hypothèses que rien ne peut démontrer.

Personne ne nie que l'environnement familial et social ait une influence sur les chances de réussite d'un enfant. Il existe de toute évidence des milieux plus favorables que d'autres à la réussite. Mais l'école est justement là – et c'était bien la mission que lui avait attribuée Jules Ferry – pour permettre à tous les enfants, en particulier ceux des milieux en difficultés, de trouver les éléments dont ils ont besoin pour maîtriser les savoirs fondamentaux.

On comprend sans peine qu'un enfant puisse être victime de difficultés générées par les comportements d'adultes qui ne parviennent pas à gérer leurs problèmes. Il existe sans conteste des cas où l'enfant présente des comportements agressifs ou antisociaux qui nécessitent l'intervention d'un spécialiste. Cela étant, l'expérience prouve qu'un grand nombre de dysorthographiques majeurs issus de milieux habituellement considérés comme favorisés sont capables, étant intégrés dans de prestigieuses préparations aux concours de grandes Écoles, de faire plus de 200 fautes dans un test de 70 phrases – qui correspond au niveau de connaissances qui était exigé, il y a cinquante ans, pour le concours d'entrée en 6ᵉ ! Pour ceux-là, l'intervention du psychologue a peu de chances d'être accompagnée de résultats positifs !

L'hyperactivité est également souvent invoquée. C'est effectivement un trouble du comportement mais il est indépendant des facteurs environnementaux. Il ne faut pas confondre l'enfant hyperactif en perpétuel mouvement, incapable de contrôler sa motricité quelle que soit sa bonne volonté, et l'enfant agité qui bouge beaucoup mais peut rester concentré quand il entreprend une activité qui lui plaît. Il existe également des enfants qui peinent tellement en lecture ou en écriture, en raison d'un défaut d'acquisition des automatismes de base mis en jeu par l'écrit, que toutes leurs capacités de concentration sont occupées par ces tâches : de ce fait, leurs neurones inhibiteurs ne peuvent plus bloquer la motricité comme ils doivent le faire en situation normale de lecture. Ces enfants non plus ne doivent pas être taxés d'hyperactivité. La différence avec l'enfant hyperactif réside dans le fait que ce manque d'inhibition motrice ne se manifeste que pendant la réalisation d'un travail écrit alors que les autres activités sont exécutées de manière normale.

Quand on explore le passé d'un enfant et des adultes qui l'entourent, on peut toujours trouver un événement qui peut avoir eu un impact négatif sur l'enfant. Mais bien souvent, établir un lien de cause à effet entre ce fait et les difficultés scolaires de l'enfant tient plus de la science des médecins de Molière que de la rigueur scientifique, qui exige qu'une hypothèse soit validée avant d'être admise comme réalité.

L'importance du moment de l'apparition des troubles

Avant de se hâter de conclure et de proposer des thérapies longues et coûteuses, il importe de savoir à quelle période ces troubles comportementaux sont apparus.

Lorsque les troubles du comportement s'installent progressivement, au fur et à mesure de la croissance de l'enfant, la démarche qui s'impose est de consulter un spécialiste qui tentera de découvrir la cause de ces anomalies sans lien avec l'école. Il sera alors en mesure de proposer une thérapeutique adaptée.

À noter

Si l'enfant ne présentait aucune perturbation jusqu'au moment où l'apprentissage du langage écrit a été introduit en classe, la sagesse veut que l'on cherche d'abord à savoir si l'échec en ce domaine peut être la cause des perturbations de l'enfant.

Pour cela, il suffit de reprendre l'apprentissage de la lecture et de l'écriture avec une méthode alphabétique stricte, sans que rien d'autre ne soit modifié dans les conditions de vie de l'enfant. Si les anomalies comportementales s'atténuent puis disparaissent, la preuve est faite que les perturbations étaient liées à l'inadaptation de l'enfant aux pédagogies qui lui étaient proposées.

Malheureusement, la tendance actuelle de l'école évolue de plus en plus vers une médicalisation des problèmes rencontrés en classe. Dès l'apparition des premières difficultés chez un enfant de CP – et même de moyenne ou grande section de maternelle –, l'école fait souvent intervenir une équipe qui inclut psychologues, psychopédagogues et éducateurs spécialisés, quand ce n'est pas d'emblée le pédopsychiatre. On parle de dyslexie, de dysphasies, d'hyperactivité, voire de dyspraxies[1], ou encore de troubles affectifs de diverses natures. L'enfant ainsi que ses parents se trouvent emportés, souvent pour plusieurs années, dans un tourbillon de rééducations et d'interventions dont les effets peuvent être bénéfiques quand le diagnostic a été bien posé. Cependant, dans la plupart des cas, ces effets masquent les vrais problèmes et n'améliorent en rien la situation scolaire de l'enfant, pas plus que son comportement. Saturé de ces multiples prises en charge qui occupent la presque totalité de son temps extrascolaire, l'enfant

---

1. La dyspraxie est une pathologie neurologique rare mais sévère, qui touche tous les aspects de la motricité gestuelle et est souvent évoquée à tort par les enseignants lorsque l'acquisition de l'écriture est difficile.

refuse souvent de s'y rendre et la situation s'aggrave quand on l'y oblige.

En tant que médecin, je rencontre des élèves de tous âges présentant de très importantes difficultés scolaires, accompagnées du cortège de troubles qui s'y associent. De ce fait, il m'est possible d'affirmer que dans la très grande majorité des cas, la suspension de ces interventions multiples et leur remplacement par une aide adaptée, apportée à l'enfant par ses parents ou par des associations formées à l'usage de méthodes alphabétiques, permet de résoudre les problèmes, quel que soit le milieu sociofamilial dont l'élève est issu. La meilleure récompense est alors de constater, au fil des jours, l'épanouissement de l'enfant qui prend peu à peu conscience du fait qu'il lui est possible de réussir à lire et à écrire.

Par contre, si après quelques mois de travail régulier, effectué dans de bonnes conditions et avec de bonnes méthodes, l'enfant n'acquiert pas les compétences scolaires escomptées, si son comportement ne s'améliore pas ou s'il refuse toute aide, nous nous trouvons devant une véritable pathologie qui nécessite le recours au pédopsychiatre. Celui-ci est alors dans son véritable rôle de thérapeute, qui consiste à soigner ceux qui sont en situation pathologique, et non à prendre en charge des enfants victimes d'échecs dus à l'utilisation d'une technique d'apprentissage à laquelle ils sont dans l'incapacité de s'adapter.

Pour illustrer ces interventions des équipes psycho-éducatives qui s'intensifient nettement depuis plusieurs années dans la scolarisation des enfants en difficulté, je résumerai ici un cas vécu récemment par un enfant qui, au cours de son troisième CP, ne parvenait toujours pas à lire. Ce garçon, que je nommerai B*, était suivi depuis deux ans par une psychologue et une cellule d'aide pour élèves en difficulté. B* ne faisait aucun progrès.

Quand je l'ai rencontré la première fois, je me suis trouvée devant un enfant très traumatisé par ses échecs mais qui déclarait cependant aimer l'école parce qu'il espérait toujours pouvoir « y arriver ». En revanche, il exprimait très clairement sa volonté de ne plus voir la psychologue qui se chargeait de lui depuis deux ans, en affirmant que « ce n'était pas elle qui lui apprendrait à lire ». La mesure de ses aptitudes intellectuelles montra que B* se situait dans la moyenne faible, avec quelques difficultés d'abstraction. Mais son profil intellectuel lui permettait tout à fait d'apprendre à lire et à écrire, à condition d'utiliser une méthode alphabétique, car il présentait toutes les caractéristiques des enfants à risques en ce domaine.

Très coopérants, les parents de B* acceptèrent de reprendre avec lui tout l'apprentissage de la lecture et de l'écriture avec la méthode que je leur enseignai. B* fit de nets progrès, comprit le principe de l'assemblage des lettres et fut bientôt capable d'écrire sous la dictée les mots qui correspondaient à l'avancement de ses connaissances.

Se produisit alors un événement stupéfiant. La directrice de B* organisa une réunion à laquelle étaient convoqués le maître de l'enfant, l'aide scolaire, le conseiller pédagogique, le psychologue, l'orthophoniste, l'infirmière et le médecin scolaire, les parents de l'enfant ainsi que B* lui-même. Lors de cette réunion, B* entendit de la directrice le discours suivant : « Ou bien tu arrêtes le travail que tu fais le soir avec tes parents pour apprendre à lire et on s'occupe de toi en classe, ou tu continues à travailler avec eux mais, à l'école, on ne s'occupe plus de toi. Choisis. » Scandalisés par cette attitude, les parents de B* s'apprêtaient à quitter la réunion avec leur fils. C'est alors que B*, de sa petite voix d'enfant de huit ans, déclara calmement : « Eh bien, s'il faut choisir, je choisis. Je travaillerai avec mes parents, parce qu'avec eux je comprends et je fais des progrès et qu'avec vous, je ne comprends rien. »

On imagine sans peine l'effet que ces paroles produisirent sur l'assistance qui pensait que B*, impressionné par un tel aréopage, serait contraint de dire publiquement qu'il allait abandonner le travail fait à la maison. On se demande comment des adultes, toujours prêts à mettre en avant l'importance du traumatisme psychologique dans le comportement scolaire de l'enfant, peuvent sommer un enfant de choisir entre ses maîtres et ses parents, en public et en présence de ceux-ci ! On ne peut qu'être admiratif devant le bon sens et le courage de B*, qui a osé imposer sa volonté dans de telles circonstances !

L'école a alors décidé de placer B* dans une classe pour élèves souffrant de difficultés scolaires graves. Le seul avantage qu'il y trouvera sera de pouvoir continuer à son rythme son apprentissage de la lecture et de l'écriture avec ses parents. Ensuite, il faudra à nouveau se battre pour trouver la solution la mieux adaptée pour permettre à cet enfant d'évoluer positivement.

Cette histoire mérite d'être relatée car elle représente un modèle d'un genre de situation qui se développe dans le cadre scolaire et risque de perdurer si la création des « contrats scolaires » se met en place. Elle montre que **les parents doivent faire preuve**

de détermination pour poursuivre l'aide qu'ils ont décidé d'apporter à leur enfant, quelle que soit l'opinion que l'école puisse avoir sur leur choix. Premiers responsables de l'éducation de leurs enfants, ils doivent savoir qu'il leur faudra parfois livrer de vraies batailles pour faire valoir leur volonté et assumer leur choix lorsqu'il s'agit de l'avenir de leurs enfants.

CHAPITRE 9

LES PÉDAGOGIES OPTIMISÉES

Au programme

* Les critères d'une pédagogie optimisée de la lecture et de l'écriture
* Les critères d'une pédagogie optimisée de l'orthographe

Les procédés pédagogiques proposés ici pour optimiser l'apprentissage de la lecture et de l'écriture, puis celui de l'orthographe, ont pour but ultime de développer les savoirs et les aptitudes intellectuelles. Ils découlent directement de ce que nous savons aujourd'hui sur le fonctionnement du cerveau. Plus nous lui apporterons de données qui faciliteront son travail, plus simple sera sa tâche et moins grands seront ses risques d'erreurs.

De plus, lorsqu'on connaît le rôle que joue l'apprentissage du langage oral et écrit dans le développement de la pensée conceptuelle, on comprend que la qualité de cet apprentissage dépasse largement celle d'un savoir-faire. Les modes les plus modernes d'examen du cerveau montrent sans ambiguïté que les techniques d'apprentissage ont des répercussions majeures sur l'anatomie du cerveau et la structuration des circuits qui unissent entre eux les neurones des aires cérébrales.

La synthèse des différentes opérations que nécessitent la lecture et l'écriture nous dicte quelles techniques pédagogiques peuvent optimiser ces apprentissages sous leurs deux formes essentielles :

- celle de la lecture, de l'écriture et des premières bases de l'orthographe ;
- celle, plus spécifique, de l'orthographe, qui doit mener l'élève à la maîtrise correcte de l'ensemble de la langue écrite.

Les critères d'une pédagogie optimisée de la lecture et de l'écriture

Nous avons vu précédemment que les études qui portent sur le fonctionnement du cerveau, ainsi que les évaluations comparatives faites en ce domaine, prouvent que l'apprentissage explicite du code alphabétique de la langue est beaucoup plus efficace que l'apprentissage implicite. **L'apprentissage explicite limite considérablement les risques d'erreurs chez tous les enfants mais tout particulièrement chez les véritables dyslexiques et chez tous ceux qui présentent, à des degrés divers, des difficultés dans la discrimination des sons, dans l'identification des formes et leur orientation, et dans l'adaptation au symbolisme graphique.**

À noter

Une méthode optimisée d'apprentissage de la lecture et de l'écriture ne peut être qu'alphabétique.

Cela étant, il faut savoir que certaines méthodes, en particulier plusieurs pédagogies récentes présentées par leurs auteurs comme alphabétiques, sont loin d'en posséder toutes les caractéristiques. Elles permettent l'apprentissage du code alphabétique mais introduisent, pour y parvenir, des techniques qui manquent de rigueur et font appel à des procédés que l'on retrouve dans d'authentiques méthodes semi-globales. Le but ici n'est pas d'allumer des polémiques mais de fournir des informations précises sur ce qu'est une véritable méthode alphabétique destinée à optimiser le développement cérébral. Les parents pourront ainsi arbitrer et choisir en toute connaissance de cause, parmi les pédagogies qui s'offrent à eux, celle qui leur semblera le mieux répondre à leur attente.

Il peut exister plusieurs présentations de méthodes alphabétiques mais toutes, sans exception, doivent respecter les mêmes principes généraux.

Vous trouverez ci-dessous les caractéristiques que l'auteur de ces lignes considère comme indispensable et a mis en œuvre pour proposer une méthode optimisée d'apprentissage de la lecture et de l'écriture.

L'apprentissage des graphèmes

L'ordre d'apprentissage des graphèmes doit permettre de proposer dès le début de l'apprentissage des phrases porteuses de sens. Il s'agit là d'un des points les plus importants. Au début, l'enfant n'ayant aucune connaissance, il faut commencer par apprendre ce qui est le plus facile à entendre dans la langue, c'est-à-dire les voyelles, puis avancer en introduisant à chaque fois un nouveau graphème pour le combiner avec ceux qui ont déjà été appris. Les voyelles accentuées sont introduites dès ce stade. Elles constituent une difficulté pour un débutant en raison de l'orientation des accents : « é » et « è ». Mais c'est le prix à payer pour pouvoir construire dès les premières leçons de petites phrases qui aient un sens. En effet, il faut pouvoir disposer du verbe « avoir » à la troisième personne du singulier et utiliser le participe passé des verbes terminés par une voyelle pour ne pas introduire le verbe « être » sous sa forme « est », impossible à comprendre à ce stade de la lecture.

La méthode ne doit utiliser aucun mot se terminant par une lettre muette

Pour que l'apprentissage se construise de manière logique et sans pièges, il est indispensable de n'introduire aucun mot qui se termine par une lettre muette (« s », « t », « d », « g », « nt », etc.). Par contre, le « e » qui termine les mots, souvent considéré comme muet parce qu'il est peu audible, doit être légèrement prononcé, comme dans les mots « roue », « tortue », « rose ».

Aucun mot pluriel ne doit être utilisé tant que les articles « les » et « des » sont inconnus. De même, les « s », « t », « d » et « ent » qui terminent les verbes ne seront présentés que lorsque la notion de verbe terminé par le son « é » écrit « er » aura été comprise.

Cette progression, ainsi que l'éviction des mots contenant des lettres muettes, est une contrainte difficile à respecter pour le créateur de la méthode. Cependant, l'expérience montre que ce choix est une des conditions essentielles de la réussite.

En revoyant sans cesse les graphèmes connus, mais dans des associations différentes, l'enfant assimile très facilement les lois du montage combinatoire de la langue, dont il comprend la logique, et accède, dès l'apprentissage des premiers graphèmes, au sens de ce qu'il lit. **Cette manière de procéder a également des conséquences très positives pour l'apprentissage des toutes premières bases de l'orthographe.**

La méthode doit favoriser l'apprentissage explicite du lien entre les phonèmes et les graphèmes

Plus le lien entre la reconnaissance de la forme et le souvenir sonore qu'elle évoque se réalise sans erreur et avec rapidité, meilleure est la qualité des informations transmises au module sémantique du cerveau, qui en trouve ainsi facilement le sens.

Nous avons vu précédemment que pour réussir à associer des sons à des graphismes, il faut être capable de réaliser deux types d'opérations :

- différencier les uns des autres les phonèmes de la langue orale ;
- différencier la forme et l'orientation dans l'espace des graphismes qui les représentent.

Une bonne méthode d'apprentissage de l'écrit doit donc mettre en œuvre des procédés qui facilitent l'installation de ces compétences.

Favoriser l'écoute des sons et des phonèmes de la langue

La discrimination des phonèmes est une difficulté majeure à surmonter pour beaucoup d'enfants. En conséquence, une bonne méthode d'apprentissage de la lecture et de l'écriture doit impérativement comprendre un nombre important d'exercices de discrimination phonologique dans chaque leçon de lecture et d'écriture : l'objectif est que chaque élève, quelles que soient ses difficultés, parvienne à isoler les sons de base de la langue. Ce travail n'étant que rarement proposé désormais dans les classes maternelles, **nous suggérons aux parents de faire pratiquer à leur enfant, quelques minutes chaque jour et sous forme de jeux, les exercices indiqués dans les chapitres précédents** : cela lui permettra d'aborder dans de bonnes conditions l'apprentissage ultérieur de la langue écrite.

Bien évidemment, pour tous les enfants qui ne parviennent pas à lire après le CP, la même démarche doit être suivie. Il suffit de leur expliquer la raison de cette exigence pour qu'ils s'y prêtent facilement, sans avoir le sentiment qu'on les prend pour des « petits ». Ils doivent en outre savoir que leur cas n'est pas isolé. En effet, des études réalisées chez des adultes illettrés ont montré qu'ils étaient très nombreux à ne pouvoir reconnaître les phonèmes dans les mots, ce qui était très probablement la cause essentielle de leur échec scolaire.

Favoriser la reconnaissance et l'orientation des formes dans l'espace

À noter

Il est scientifiquement prouvé que les meilleurs lecteurs sont ceux qui perçoivent le plus rapidement les très petites variations de formes entre les signes graphiques.

Ils parviennent mieux que les autres à centrer la lettre à analyser sur le point le plus sensible de la rétine, la fovéa, sollicitée pour toute perception fine. En revanche, les dyslexiques et les mauvais lecteurs présentent des difficultés importantes pour analyser visuellement les composantes graphiques des mots.

Tous les procédés qui permettent de mieux centrer les formes à reconnaître sur la fovéa vont dans le bon sens. Spontanément, certains enfants suivent ce qu'ils lisent en plaçant un doigt sous les mots. D'autres cachent les lettres au fur et à mesure où ils les identifient. Ces pratiques ne présentent aucun inconvénient et disparaîtront d'elles-mêmes lorsque le centrage des éléments à lire sera automatisé.

Pour bien reconnaître une lettre, il ne suffit pas d'en reconnaître la forme, il faut aussi percevoir l'orientation dans l'espace des éléments qui la constituent. Nous avons signalé plus tôt que de nombreuses lettres sont symétriques les unes des autres, et que leur situation dans l'espace est mal identifiée chez les enfants qui présentent des difficultés en ce domaine (b/d/p/q ; n/u, donc au/an/on/ou, etc.). Ceux-ci sont encore très nombreux à l'âge des premiers apprentissages de la lecture et de l'écriture.

C'est pourquoi une bonne pédagogie de l'écrit doit associer systématiquement, aux exercices de discrimination des sons, des procédés pédagogiques dont nous avons donné des exemples au chapitre 5. Cela aide l'élève à reconnaître les formes et leur orientation, ainsi qu'à maîtriser les graphismes de base qui entreront ultérieurement dans la morphologie des lettres.

Les travaux d'Éric Kandel, prix Nobel de médecine en 2000, démontrent qu'**un apprentissage est d'autant plus rapide que la stimulation exercée sur les neurones est plus forte.** Multiplier les voies d'entrée qui agissent sur les neurones constitue un moyen efficace pour augmenter cette stimulation.

Pour travailler sur la reconnaissance des formes des lettres et de leur orientation dans l'espace, de multiples exercices peuvent être créés. Le but est d'apprendre à voir les différences qui sont perceptibles entre plusieurs formes et de parvenir à repérer rapidement le sens dans lequel celles-ci sont situées, dans l'espace en deux dimensions que représente la feuille de papier, l'ardoise ou le tableau. Là encore, un travail spécifique doit être accompli dans chaque leçon de lecture et d'écriture pour automatiser ces fonctions.

Trois types de stimulation doivent être mis en œuvre :

- **Utiliser le toucher.** L'expérience permet de constater l'efficacité de l'utilisation de lettres tracées sur des supports rugueux. Cette technique consiste à prononcer le son de la lettre en passant l'index de la main dominante sur cette lettre. Introduite dans l'apprentissage de la lecture par Maria Montessori, cette technique permet d'adjoindre stimulations tactiles et visuelles, qui se renforcent l'une et l'autre pour favoriser la mise en mémoire de la forme de l'objet perçu. L'exercice gagne en efficacité quand il est réalisé d'abord les yeux ouverts, puis les yeux fermés.
- **Manipuler des lettres mobiles.** Associée à la prononciation du son auquel elle correspond, la manipulation des graphèmes présentés sur de petits cartons facilite également beaucoup la mémorisation des lettres. Celles-ci peuvent être employées pour bâtir des mots avec les graphèmes déjà étudiés. Non seulement cette manipulation facilite la mise en place du lien qui unit sons et graphismes, mais elle apporte également la compréhension de l'ordre des lettres dans un mot.
- **Utiliser le geste.** Le geste, comme le toucher, représente une aide dans l'identification du graphisme, surtout s'il est exécuté dans un plan vertical. Des raisons neurologiques liées aux perturbations de la lecture chez des sujets qui souffrent de

lésions de l'hémisphère gauche incitent à préconiser l'usage de gestes représentant le tracé exact de la lettre exécuté avec la main dominante. Il paraît souhaitable d'éliminer l'apprentissage de gestes qui introduisent une autre forme que celle de la lettre.

Associer systématiquement l'apprentissage de la lecture et de l'écriture

La lecture et l'écriture représentent les deux visages de la même réalité sonore et sont indissociables l'un de l'autre. Leur apprentissage doit donc être simultané. C'est la raison pour laquelle les exercices permettant de mémoriser la forme des lettres doivent être réalisés systématiquement pour les lettres d'imprimerie et pour les lettres manuscrites.

Par contre, **nous considérons que l'introduction des majuscules doit être envisagée plus tardivement, soit à la fin de la méthode, soit au moment où toutes les formes des lettres sont connues.** L'apprentissage des majuscules oblige l'enfant à mémoriser quatre graphismes pour la même lettre. Cela nous paraît excessif dans la mesure où la majuscule présente souvent une forme très différente de la minuscule, avec parfois des inversions de latéralisation, sources de confusions graves (par exemple : d/D). Même si l'usage de majuscules proches de celles de l'imprimerie est maintenant toléré dans l'écriture manuscrite, ce qui est une bonne chose, l'apprentissage de ce troisième graphisme est cependant une surcharge dont il est préférable, à nos yeux, de se passer. Ce choix, que certains critiquent, se révèle pourtant très positif dans la pratique, à condition de bien faire remarquer à l'enfant que chaque phrase se termine par un point et d'aller à la ligne pour chaque début de phrase. En effet, **ce qui compte à ce niveau, dans l'apprentissage, est de comprendre que la phrase est un ensemble de mots qui se suffit à lui-même pour exprimer une action ou une idée.** Lorsqu'on explique ensuite que chaque phrase commence par une lettre majuscule et qu'on en apprend le tracé, la mise en place des majuscules se fait sans aucune difficulté.

Enfin, notons que s'il est indispensable d'apprendre en même temps une lettre dans sa forme d'imprimerie et dans son écriture manuscrite, cette dernière ne doit pas figurer dans le livre de lecture. Elle est réservée à l'écriture sur le cahier.

Faciliter le travail du module supérieur du cerveau spécialisé dans la recherche du sens

En même temps que le cerveau établit les liens qui unissent les sons aux graphismes, il opère des essais successifs d'assemblages en partant du plus simple pour aller vers le plus complexe, jusqu'à ce qu'il découvre des similitudes entre l'information qu'il traite et les éléments dont il dispose dans sa mémoire.

Optimiser la connaissance du lien entre phonèmes et graphèmes

Le module sémantique du cerveau regroupe toutes les structures qui entrent dans la recherche de la signification du mot, des phrases, des textes. Tous les procédés susceptibles d'améliorer la qualité et la rapidité du travail phonologique auront donc une incidence directe sur la compréhension de l'écrit. En revanche, une trop grande lenteur du travail du module phonologique constitue un handicap dans la mesure où la durée de chaque pause oculaire nécessaire pour découvrir le lien qui unit les lettres et les sons qu'elles représentent est supérieure au temps de maintien dans la mémoire immédiate de l'élément précédemment identifié. L'allongement du temps phonologique dans la lecture est donc une source d'incompréhension du texte.

Enrichir les connaissances en vocabulaire par un apprentissage explicite

La découverte du sens se produit quand le module supérieur découvre une coïncidence parfaite entre les éléments décryptés qui lui parviennent et des données stockées dans sa mémoire et dont il connaît le sens. **Si le mot analysé ne correspond à aucun terme connu du vocabulaire de la langue orale, la découverte de sa signification graphique est impossible.** Une pédagogie efficace de la lecture doit donc être associée à un travail explicite d'enrichissement du vocabulaire.

Accentuer de manière explicite les connaissances de nature grammaticale que l'enfant a acquises en pratiquant la langue orale

La découverte du sens de l'oral fait intervenir la notion de catégories grammaticales. S'il n'est pas réaliste de proposer de la grammaire explicite en CP, l'enfant doit cependant comprendre que chaque mot de la phrase joue un rôle dans le discours oral comme dans la langue écrite.

Nous avons indiqué que la compréhension de la grammaire met en jeu un ensemble de réseaux interconnectés dont l'action de chaque élément est essentielle à la compréhension de ce processus particulièrement complexe qu'est le langage. Certains éléments de ces réseaux ont pour rôle d'arbitrer entre les différentes solutions de lecture possibles. On comprend sans peine les répercussions que peuvent avoir les erreurs qui s'infiltrent, à quelque niveau que ce soit, dans cette tâche d'une grande difficulté. Tout doit donc être mis en œuvre pour faciliter le plus possible, à tous les stades du traitement de l'information, les opérations qui mènent de la parole à la compréhension de la langue écrite.

Apprendre que le graphème « s » se prononce, suivant les cas, « ss » ou « z » est une acquisition orthographique. De même, lorsque l'enfant aura compris ce que signifient les syllabes « les » et « des », la notion de pluriel sera introduite et s'intégrera dans les acquisitions de ces réseaux. Dès les premiers apprentissages de graphèmes, la leçon doit donc se terminer par une dictée dans laquelle l'enfant retrouve uniquement le graphème qu'il vient d'apprendre et ceux qu'il connaît déjà. Y figureront rapidement des acquisitions grammaticales qui découlent de l'apprentissage de la lecture. L'expérience a largement prouvé ce que nous n'aurions pas imaginé auparavant : **la dictée qui termine chaque leçon portant sur un graphème est l'exercice le plus apprécié des enfants,** qui sont valorisés par le fait de pouvoir écrire sans aide des phrases dans lesquelles ils ne commettent pas de fautes puisqu'ils disposent de tous les éléments pour les transcrire correctement.

Faire formuler à l'enfant ce qu'il a compris dans sa lecture

Lorsque les éléments fournis aux deux modules du cerveau sont de bonne qualité, déchiffrage et compréhension ne doivent pas être dissociés. **À tous les stades de son apprentissage de l'écrit, l'enfant doit être en mesure de formuler ce qu'il a compris avec ses propres mots.** Il ne faut pas, en effet, se contenter d'une simple répétition de la phrase lue. Cela n'a aucun intérêt puisque l'exercice consiste alors en une récitation qui ne permet pas de mettre en évidence ce que l'enfant a retenu de sa lecture. Dès que les textes contiennent plusieurs phrases, la formulation est remplacée par le résumé du texte lu afin, d'apprendre au jeune lecteur à en retenir les éléments essentiels et à exercer ainsi ses capacités d'analyse et de synthèse.

Oraliser la lecture

Contrairement à ce qui a été imposé aux lecteurs débutants pendant de nombreuses années, la lecture doit être oralisée. La lecture silencieuse est un non-sens sur le plan neurologique car le traitement de l'information écrite par le cerveau conduit les données lues dans les aires motrices qui commandent la parole. La lecture silencieuse nécessite l'intervention de neurones inhibiteurs qui coupent les circuits du langage avant l'entrée dans ces aires. Lire à voix basse constitue une difficulté supplémentaire dont le lecteur débutant doit être dispensé. D'autre part, l'oralisation des éléments prononcés est perçue par le lecteur. Elle lui permet d'entendre ce qu'il lit et, éventuellement, de corriger sa production si elle ne s'intègre pas correctement dans le sens du texte. **La lecture à voix haute est donc indispensable et aucune méthode d'apprentissage de la lecture ne doit en faire abstraction.**

Présenter les textes à lire en noir et blanc

Aux exigences précédentes, qui devraient constituer le cahier des charges de toute méthode alphabétique, s'ajoutent des caractéristiques techniques qui simplifient considérablement l'apprentissage de l'écrit.

Les connaissances dont nous disposons concernant la perception des contrastes nous montrent que ceux-ci sont optimisés par une calligraphie noire sur fond blanc, qui facilite la perception de la forme des lettres par la fovéa. Dans une méthode d'apprentissage de la lecture, l'introduction de lettres en couleur, utilisées par exemple pour identifier les voyelles dans les mots ou indiquer les lettres qu'on ne doit pas prononcer en fin de mot, est à éviter ainsi, que l'utilisation d'encre de couleur dans les textes.

Présenter des textes sans aucune illustration

Ce choix, qui choque certains parents, se justifie pourtant, là encore, par des contraintes neurologiques importantes.

La présence de l'image dans un texte conduit à mettre en parallèle l'activité de deux hémisphères cérébraux

L'hémisphère gauche se charge de la compréhension des signes graphiques traités selon le mode analytique, alors que le droit prend en charge le traitement analogique de l'image. Il y a inévitablement dans cette double action une activité concurrentielle qui favorise la déconcentration du jeune lecteur.

D'autre part, l'image proposée sous forme d'illustration d'un mot, comme c'est presque toujours le cas dans les méthodes actuelles, constitue un danger supplémentaire en suggérant des « hypothèses de sens » qui peuvent être sources d'erreurs et ne doivent, en aucune manière, trouver place dans une méthode alphabétique. L'image peut en effet correspondre à plusieurs réalités différentes. Si l'on veut illustrer le mot « fleur », il est impossible d'y parvenir sans choisir une fleur parmi toutes les autres. L'enfant devra-t-il déduire de l'image qu'il s'agit de la fleur dessinée ou du terme général « fleur » ?

Dans une méthode très récente, authentiquement semi-globale et qui isole un graphème à chaque page, les auteurs, pour faire reconnaître le phonème « i », l'ont présenté dans plusieurs mots illustrés chacun par un dessin. L'un d'eux représente un volatile jaune qui peut être un oiseau, un poussin ou un canari. Nous osons espérer que les maîtres préciseront qu'il s'agit d'un canari ! Même si l'objectif est uniquement de faire reconnaître le « i » dans un mot, erreur très caractéristique d'une méthode semi-globale, s'y ajoute une faute beaucoup plus grave qui consiste à présenter ce phonème dans des mots ou le « i » est inclus dans un phonème complexe où il perd sa valeur phonologique propre.

La compréhension du texte est le seul élément qui suscite le goût de lire

Pour l'enfant, « savoir lire » est une promotion qui lui permet d'entrer dans le monde des « grands ». L'enfant sait très bien séparer le travail du jeu. J'avoue que je suis toujours surprise par le comportement des adultes face à cette question. Alors qu'ils se lamentent le plus souvent sur le manque de maturité de leur enfant, ils font tout pour le maintenir dans un univers infantile lorsqu'il s'agit de lui proposer ce qu'ils considèrent, à juste titre, comme un travail. Ils pensent qu'en matière d'apprentissages, seules les activités ludiques peuvent intéresser un enfant. Il leur paraît donc indispensable que la notion de travail soit masquée pour être acceptée. C'est ignorer que la réussite dans l'apprentissage intellectuel, comme dans l'exercice physique, crée une satisfaction grâce à la formation, pendant le travail, de substances chimiques qui incitent à poursuivre l'effort pour parvenir au résultat recherché.

À noter

La compréhension de ce qu'on lit s'accompagne d'un plaisir qui puise sa source dans la lecture elle-même et non dans l'aspect esthétique du livre lu.

L'envie d'apprendre, la curiosité intellectuelle répondent au même principe. En ce qui concerne la lecture, ce n'est que lorsque l'effort ne permet pas d'atteindre la compréhension que s'installent l'ennui et le rejet de la lecture.

Il me paraît utile de rapporter, sur cette question, un cas révélateur. La famille d'un enfant de CE1 qui était parvenu à la moitié de la méthode de lecture que je lui avais préconisée devait partir en vacances d'hiver. La maman, persuadée que son fils avait dû beaucoup souffrir en travaillant sur ce livre trop « sérieux », lui avait acheté un très bel album illustré pour qu'il puisse s'entraîner pendant les vacances. Au moment de partir, l'enfant apporta le livre en noir et blanc et, devant l'étonnement de sa mère qui lui demanda pourquoi il ne prenait pas « son beau livre », il eut cette réponse : « Je prends celui-là parce que je le préfère. Je comprends et je veux connaître la suite. Dans l'autre, il y a plein de mots que je ne comprends pas. » Cette constatation était parfaitement normale car, dans le livre illustré, de type semi-global, étaient introduits des graphèmes que l'enfant n'avait pas encore étudiés.

La compréhension est une satisfaction bien plus puissante que la contemplation d'images en quadrichromie, aussi belles soient-elles ! Ce cas est loin d'être unique et les enseignants qui pratiquent cette pédagogie dans leurs classes ont confirmé que cet ouvrage, apparemment austère, était très bien accepté des enfants et développait très rapidement l'envie de lire.

Voici donc résumés les éléments pédagogiques qui doivent, à nos yeux, figurer dans une pédagogie optimisée de la lecture et de l'écriture. Jadis, les enseignants introduisaient dans le travail journalier de leurs classes une grande partie des techniques qui ont été retenues ici (ainsi que des techniques voisines de celles-ci). Leur expérience les guidait et leur permettait de faire le tri entre différentes approches pour conserver les plus efficaces. Le manuel de l'élève, dont les parents avaient connaissance, ne représentait qu'une partie du travail effectué. L'essentiel était fait en classe, avec des moyens appropriés et efficaces. Ces techniques, nées de l'observation et du bon sens, trouvent aujourd'hui l'explication de leur efficacité dans le fait qu'elles répondent aux exigences du fonctionnement cérébral.

Mais désormais, les parents se trouvent dans une situation bien différente de celle de leurs aînés. Nombre d'enfants souffrent de situations d'échec graves, aussi bien en lecture qu'en écriture et en orthographe. Leurs parents souhaitent les aider mais ne savent pas comment y parvenir. C'est pour répondre à cette attente que l'auteur a accompagné sa méthode d'apprentissage de la lecture et de l'écriture d'un indispensable manuel du maître. Il est destiné à guider les parents, leçon par leçon, pour qu'ils parviennent très facilement à faire réaliser les exercices préconisés dans cette péda-gogie optimisée. L'objectif de cette dernière est de fournir aux enfants la possibilité de bien structurer leurs circuits du langage et de développer, par voie de conséquence, leurs aptitudes concep-tuelles.

Nous verrons au chapitre suivant s'il existe ou non un inconvénient à utiliser à la maison une méthode différente de celle de l'école, ainsi que le moment le plus opportun pour mettre en œuvre cet apprentissage.

Les critères d'une pédagogie optimisée de l'orthographe

Les difficultés d'acquisition de l'orthographe touchent une très grande majorité des enfants de primaire mais également un pour-centage très élevé d'élèves au collège et au lycée, voire dans l'ensei-gnement supérieur, et d'adultes. Les parents sont en général très perturbés par ce problème : ils ne comprennent pas comment un enfant qui ne peut transcrire correctement sa pensée par écrit pourra espérer suivre ultérieurement une scolarité et réussir dans sa vie professionnelle. Leur réaction est légitime car un jour viendra où cette incapacité à maîtriser l'écrit constituera un obstacle majeur qui empêchera l'élève de réussir le projet qu'il s'est fixé.

Heureusement, aucune situation n'est irréversible en ce domaine, mais le travail pour triompher de ce handicap risque de devoir être fourni à un moment où l'adolescent ou le jeune adulte devra utiliser toutes ses ressources pour atteindre ses objectifs. Le bon sens voudrait que cet apprentissage de base qu'est l'apprentissage de l'orthographe soit, après celui de la lecture et de l'écriture, une priorité de l'enseignement primaire. L'absence de prise en compte des exigences du fonctionnement cérébral dans l'apprentissage de la lecture et de l'écriture conduit aux mêmes aberrations dans l'apprentissage de l'orthographe.

Pourtant, **la restitution de l'oral à l'écrit, qui est un apprentissage difficile, peut être considérablement facilitée par la connaissance de quelques points fondamentaux** dont nous résumerons les éléments essentiels, lesquels permettent d'élaborer une méthode optimisée de l'apprentissage de l'orthographe.

Venu du grec, le mot orthographe signifie « écrire correctement ». Cela ne se limite pas à la qualité du graphisme mais inclut la maîtrise des règles qui régissent l'écriture des mots en fonction de leur nature et de leur rôle dans la phrase, ainsi que celles qui sont le reflet de l'usage de la langue et de son évolution au cours du temps.

Un certain nombre de procédés facilitent considérablement l'acquisition de l'orthographe.

Connaître le code alphabétique de la langue

Avant d'entrer dans les complexités de la grammaire, il est indispensable de pouvoir écrire correctement les mots qui s'écrivent « comme ils se prononcent ». L'indispensable maîtrise du code alphabétique de la langue est la première connaissance nécessaire pour transcrire la langue orale par écrit.

L'apprentissage explicite, qui limite les possibilités de confusions dans l'équivalence entre phonèmes et graphèmes, est une garantie de succès pour poser ces premières briques de l'apprentissage orthographique.

Savoir qu'il faut mettre « ss » entre deux voyelles pour écrire le son « s » et un seul pour traduire « z » est une connaissance orthographique qui est liée à l'apprentissage de la lecture. Il en est de même pour le son « g » qui s'écrira avec un « u » dans « guitare », seule solution possible pour faire correspondre, dans ce mot, sons et graphismes.

Cette première base n'est malheureusement pas toujours assimilée, même chez les élèves en fin de primaire ou en collège !

Le rôle de l'épellation

Pour reproduire ce que l'on entend ou les sons que l'on se représente mentalement, il faut d'abord savoir les écouter et les différencier les uns des autres. Les dysorthographiques ont pratiquement tous éprouvé, lors de l'apprentissage de la lecture, des difficultés pour comprendre les liens qui unissent les sons aux graphismes. À l'âge de l'apprentissage de l'orthographe, l'épellation constitue le meilleur moyen pour parvenir à combler ce déficit.

Pratiquée depuis des siècles, individuellement ou collectivement, l'épellation concourt à prendre conscience des suites de lettres dans les mots. Cette technique, dont des études neurologiques récentes viennent de montrer l'efficacité dans l'apprentissage de l'orthographe, permet à la fois de faciliter l'apprentissage de l'orthographe et de fluidifier une lecture encore hésitante. Elle est pourtant rarement utilisée en classe actuellement.

Faciliter l'apprentissage des règles orthographiques en les classant par catégories

Certaines aires cérébrales sont spécialisées dans le traitement et la mémorisation des mots en fonction de leur rôle grammatical dans la phrase (verbes, noms communs, noms propres, etc.). Ce traitement de l'information, présent dans la langue orale, l'est également dans la langue écrite. Mais la plupart des spécialistes de cette question s'accordent à dire que la complexité de la mise en œuvre de l'orthographe est telle qu'elle nécessite, pour aboutir au résultat escompté, l'intervention d'un très vaste réseau de neurones interconnectés, dont ces aires font partie. Les éléments de ce réseau sont reliés de telle manière que chaque neurone est en relation avec tous les autres neurones du réseau. Chacun d'eux bénéficie donc du travail de l'ensemble du réseau, réseau qu'il fait à son tour profiter de son propre travail. On comprend dès lors que la moindre erreur qui se glisse à un niveau quelconque du réseau constitue une perturbation à laquelle il faut trouver une solution. Si le réseau dispose d'éléments suffisants pour régler le problème, la solution est trouvée. Dans les cas où les notions erronées sont trop nombreuses et les difficultés trop importantes, les problèmes posés deviennent insolubles.

La mise en mémoire se fait par catégorisation.

Le classement des données dans le réseau et dans les aires qui le composent s'opère par catégories : verbes, noms propres, noms communs, adjectifs, mots de liaison, etc. Il est bien évident qu'il est plus simple de reconnaître ces catégories par apprentissage explicite que de découvrir peu à peu par soi-même les différents groupes de mots et leur fonction, comme c'est le cas lorsqu'on ne propose pas aux élèves de véritables leçons de grammaire.

La catégorisation des mots implique de savoir reconnaître le rôle de chacun dans la phrase écrite, comme il est nécessaire de le faire dans la langue orale. Mais la difficulté dans l'écrit dépasse de beaucoup la prise de conscience du rôle du mot dans le langage oral car la fonction du mot dans la phrase modifie souvent la manière de l'écrire.

Là encore, et peut-être plus que partout ailleurs, **l'apprentissage explicite de la fonction grammaticale de chaque mot est une nécessité incontournable** pour permettre d'aboutir à une reconnaissance rapide de ce rôle qui conditionnera la forme orthographique du mot.

L'analyse grammaticale est un des piliers fondamentaux de l'orthographe : c'est d'elle que découle le choix orthographique qui correspond à la situation analysée.

On pourrait nous rétorquer que si la catégorisation des mots est simple, celle des règles de grammaire l'est beaucoup moins. Ce serait mal connaître la structure de notre langue. En effet, elle conserve de ses origines latines une rigueur qui en facilite l'accès à l'hémisphère gauche et répond bien à son besoin de logique. Le rôle d'une bonne pédagogie consiste donc à mettre en évidence tout ce qui peut être catégorisé et analysé sous forme de règles qui fournissent une solution généralisable au plus grand nombre possible de situations orthographiques. Quant aux exceptions, l'étude de la langue montre qu'elles sont d'autant plus limitées qu'on aura su dégager le plus grand nombre possible de règles générales.

Automatiser les savoirs

Pour pouvoir disposer d'une orthographe de bonne qualité, il ne suffit pas d'en connaître les règles, il faut aussi pouvoir en automatiser l'usage. Parmi les enfants qui ont appris des règles de grammaire et de conjugaison, beaucoup les récitent oralement mais sont incapables de les appliquer lorsqu'ils écrivent ou n'y parviennent que de manière irrégulière. Comment faut-il procéder pour automatiser l'usage des connaissances ?

Le but visé est atteint quand l'intégration, dans l'écriture, des règles nées de l'usage et de la structuration grammaticale de la langue est suffisamment imprimée dans les circuits cérébraux pour que ceux-ci puissent les mobiliser efficacement et rapidement.

Éric Kandel nous a appris que plus on se rapproche de la situation qui a permis la mise en mémoire d'une connaissance, plus celle-ci est mobilisée rapidement par le cerveau. Ce chercheur a remarquablement démontré que **la répétition, à intervalles rapprochés, de la donnée que l'on veut mettre en mémoire raccourcit le temps de traitement de l'information,** en permettant aux circuits neuronaux de se connecter plus facilement. Cela est dû au fait que chaque passage de l'information dans un circuit y laisse une trace qui permet aux neurones de se connecter de plus en plus vite lorsqu'ils seront à nouveau en présence de cette information. C'est la raison pour laquelle, dans tout apprentissage, qu'il s'agisse d'orthographe, de musique, de mathématiques, de sport ou de toute autre activité dans laquelle on souhaite devenir performant, il est indispensable de multiplier les exercices identiques et de s'entraîner avec une très grande régularité, à des intervalles de temps espacés d'une courte durée. Aucune performance n'échappe à cette règle, quelles que soient les capacités individuelles de chacun.

En orthographe, la mise en place de la catégorisation passe par la nécessité, pour identifier chaque mot, de l'analyser en se posant toute une série de questions qui permettent de mettre en évidence sa nature, son genre, son nombre, sa fonction dans la phrase, etc. Si l'on veut que ce mécanisme devienne très performant, **il faut que les questions posées le soient toujours sous une forme identique**, afin que le cerveau se retrouve à chaque fois dans les conditions qui ont laissé dans ses neurones les traces qui permettront l'installation de l'automatisation. C'est ce qui arrive au sujet qui maîtrise parfaitement l'orthographe. Il exécute ce travail de questionnement sur chaque mot qu'il écrit, le plus souvent sans s'en rendre compte, car les opérations intellectuelles qu'il effectue sont trop rapides pour qu'il ait la possibilité d'en prendre conscience.

Une pédagogie optimisée de l'orthographe doit donc mettre le sujet qui apprend en situation d'acquérir ces automatismes, qui lui laisseront alors la liberté de concentrer son attention sur la qualité littéraire de son texte sans avoir à se préoccuper à tout moment de la manière d'écrire les mots qu'il utilise.

La tendance actuelle des pédagogies modernes non directives, d'où tout effet de répétition est banni afin que l'enfant « construise lui-même son savoir », en orthographe comme en lecture, est aux antipodes des attentes du cerveau. Dans ces conditions, il ne faut pas s'étonner des difficultés que rencontrent enfants et adolescents pour acquérir ces savoirs qu'une bonne pédagogie scolaire devrait leur permettre de maîtriser en fin de primaire ou au plus tard en collège. La réalité étant loin de ce schéma, les parents se trouvent donc très souvent dans l'obligation de prendre la décision d'aider leurs enfants pour leur éviter des échecs qui leur fermeront les portes de la réussite, quelle que soit la voie qu'ils choisissent sur le plan professionnel.

Nous allons donc maintenant envisager les solutions concrètes qui s'offrent aux familles qui veulent aider leurs enfants aux divers stades de leur scolarité.

CHAPITRE 10

AIDER UN ENFANT EN DIFFICULTÉ DANS L'APPRENTISSAGE DE L'ÉCRIT

Au programme

- L'enfant est en CP et ne parvient pas à lire ni à écrire
- Les difficultés de lecture sont découvertes après le CP
- Comment résoudre les difficultés en orthographe chez l'enfant, l'adolescent ou l'adulte

À présent se pose la question de savoir ce que peuvent faire les parents vigilants qui ont su remarquer, dans le comportement de leur enfant, des signes révélant des difficultés d'apprentissage de l'écrit.

Nous avons vu aux chapitres 7 et 8 quels sont les signes révélateurs et les principales causes à envisager chez un enfant en difficulté scolaire. On assiste actuellement à une situation paradoxale : l'École refuse de prendre en compte les données issues de la neurologie moderne, qui lui permettraient d'apprendre à lire et à écrire à la presque totalité des élèves de primaire qui lui sont confiés, tandis qu'elle médicalise presque systématiquement l'échec de ses élèves. Souvent, dès les premiers mois et même dès les premières semaines de classe, l'enfant est dirigé vers tout un ensemble de rééducateurs dont le pivot central est le psychologue scolaire. Or, dans un grand nombre de cas, ces interventions prescrites – je l'ai hélas, souvent constaté – n'ont aucune chance de donner des résultats positifs car elles confondent les conséquences avec les causes qui les ont produites.

Lorsqu'on repère les signes annonciateurs et révélateurs de l'échec en lecture, la première chose, si cela est possible, est de **pratiquer un bilan général incluant le dépistage de déficits sensoriels, une évaluation du quotient intellectuel de l'enfant et de ses connaissances dans le domaine de l'écrit.** Par contre, il nous paraît prématuré de faire appel aux différentes aides de nature psychologique si les troubles comportementaux n'existaient pas avant le début de l'apprentissage de l'écrit, et s'ils s'atténuent et disparaissent avec un changement de pédagogie de la lecture.

La première urgence nous paraît donc d'agir de manière efficace pour casser le plus vite possible la spirale négative dans laquelle l'enfant est emporté.

Si chaque cas possède sa singularité, on peut cependant isoler plusieurs situations types qui regroupent la grande majorité des problèmes qui se posent aux parents.

Nous envisagerons donc ici les cas qui se produisent le plus fréquemment :
- L'enfant est en CP et ne parvient pas à lire et écrire.
- Les difficultés de lecture et d'écriture sont découvertes après le CP.
- L'enfant est plus âgé, lit mal, n'aime pas lire et présente une orthographe catastrophique.

L'enfant est en CP et ne parvient pas à lire ni à écrire

Il faut d'abord savoir que, quelle que soit la pédagogie proposée, il est normal que l'enfant éprouve des difficultés au début de l'apprentissage de la lecture. Son cerveau va devoir acquérir un par un chacun des éléments qui entrent dans ce puzzle complexe que constitue le langage écrit. À partir du néant de ses connaissances, il va devoir franchir tous les obstacles qui le conduiront à comprendre la signification d'un système graphique entièrement symbolique et abstrait. Il va devoir acquérir, en quelques années, un savoir-faire que l'homme de Neandertal n'a pas réussi à découvrir en 300 000 ans, alors que son cerveau possédait les structures anatomiques nécessaires pour y parvenir.

La maîtrise de l'écrit est un des apprentissages les plus difficiles que l'homme ait à réaliser. Or, il est indispensable à l'acquisition d'un très grand nombre d'autres savoirs. C'est la raison pour laquelle il faut impérativement le réussir et le rendre accessible au plus grand nombre de sujets. Pour y parvenir, il faut donc faciliter le plus possible la tâche au cerveau, en lui fournissant les éléments dont il a besoin afin de diminuer au maximum les risques d'erreurs.

Cependant, la situation n'est pas identique chez tous les élèves. Elle varie en fonction des méthodes adoptées pour leur apprendre à lire.

À noter

L'attitude à adopter en cas d'échec diffère selon la méthode employée dans la classe de l'enfant.

L'enfant se trouve dans un établissement qui pratique une méthode alphabétique

Les débuts de l'apprentissage peuvent être plus lents chez certains enfants que chez d'autres. Pour les dyslexiques et ceux qui présentent une ou plusieurs des anomalies que nous avons indiquées comme étant des facteurs de risque, les acquisitions se mettent en place plus lentement que chez les autres. Cependant, dans la plupart des cas, l'enfant parvient peu à peu à acquérir correctement la lecture et l'écriture. Mais si l'enfant ne progresse pas suffisamment en classe, il devient nécessaire d'envisager de dépister d'éventuelles perturbations, afin de préciser l'aide supplémentaire qu'il est possible de lui apporter.

L'enfant apprend à lire avec une méthode semi-globale

Le problème qui se pose est ici bien différent puisque cette approche pédagogique constitue une difficulté majeure pour un grand nombre d'enfants qui, même s'ils ne souffrent d'aucun déficit grave, ne parviennent pas à s'y adapter. Les enfants qui ne présentent aucune déficience dans les domaines que nous avons fréquemment cités (discrimination des sons, reconnaissance des formes et de leur orientation, adaptation au symbolisme graphique) peuvent apprendre à lire avec n'importe quel type de méthode. Ils peuvent même y parvenir seuls en entendant prononcer des mots qu'ils voient écrits. Cela ne veut pas dire qu'ils retiennent ces mots et en reconnaissent la forme mais qu'il leur est possible de découvrir par ce simple moyen le code alphabétique de la langue. Tous n'ayant pas cette chance, il est indispensable que vous sachiez si votre enfant fait partie ou non de ceux qui vont réussir ou échouer à plus ou moins court terme avec une méthode semi-globale. Cela vous permettra de réagir en temps utile, si besoin est.

Nous vous avons indiqué antérieurement (chapitre 7) des moyens simples pour savoir si votre enfant est en difficulté par rapport à l'écrit. Si vous constatez qu'il fait partie du groupe qui ne parviendra pas à découvrir le code alphabétique avec la pédagogie qui lui est proposée, la solution idéale est de reprendre tout l'apprentissage de la lecture avec une méthode alphabétique optimisée, du type de celle qui vous a été expliquée au chapitre 9.

Il est normal que, dans ce type de cas, les parents se posent la question de l'opportunité de leur intervention.

Conjuguer plusieurs méthodes

L'intervention des parents dans l'apprentissage de l'écrit avec une autre méthode que celle de l'école peut-elle être source de perturbations pour l'enfant ? Je me suis bien évidemment aussi interrogée à ce sujet, la première des obligations étant de ne pas nuire à l'enfant.

Pendant les premières années qui ont suivi la création de ma propre méthode d'apprentissage de la lecture et de l'écriture, j'ai conseillé aux familles d'attendre la fin du CP pour l'utiliser. Mais ce sont les parents qui m'ont amenée à revoir ma position. Devant l'ampleur de l'échec de leurs enfants, certaines familles ont décidé de commencer la méthode en cours de CP, quand il devenait évident que l'enfant ne parviendrait pas à lire avec la pédagogie pratiquée en classe et présentait des comportements hautement évocateurs de l'échec qu'il vivait au quotidien. La suite des événements leur a donné raison.

On a pu constater rapidement que **les enfants faisaient très bien la différence entre la technique utilisée à la maison et la lecture en classe** qu'ils « répétaient par cœur ». Petit à petit, des acquisitions solides se sont mises en place, d'abord très lentement, puis plus rapidement. Les enfants ont compris le principe de la lecture combinatoire et ont pris conscience du fait que savoir lire était à leur portée.

Forte des résultats obtenus par les parents dans cette expérience, je donne désormais le conseil suivant : **attendre novembre pour juger les acquis de l'enfant.** S'il s'avère qu'à cette date il n'est pas parvenu à découvrir le code alphabétique qui correspond aux pages qu'il a travaillées en classe, il est alors nécessaire de proposer à cet enfant de suivre la méthode quinze à vingt minutes par jour, au moins cinq jours sur sept chaque semaine.

Le seul problème auquel les parents se heurtent, en général, est l'opposition des enseignants qui n'acceptent pas que leur pédagogie soit critiquée et que les familles interfèrent dans celle-ci. Cette situation, malheureusement fréquente, nécessite que l'on fasse preuve d'adresse. Bien évidemment, il ne faut jamais critiquer devant l'enfant la démarche menée en classe. Il faut lui expliquer qu'en raison de certaines difficultés qu'il rencontre, comme beaucoup d'autres enfants, il est nécessaire de lui apprendre à reconnaître les lettres et à lire les mots à l'aide d'une autre méthode qui contient des exercices qui faciliteront ses progrès. **Il faut banaliser** cette action et la présenter comme une solution de complément destinée à faciliter son travail.

Par contre, comme l'enfant en échec est en général très braqué contre l'écrit, qui ne lui apporte que des soucis, il faut impérativement alléger son travail du soir : ce que vous lui proposez ne doit pas constituer un supplément d'activités scolaires qui diminue encore son temps de détente. Si l'enseignant se montre coopérant, la meilleure solution consiste à établir, en accord avec lui, cette réduction du temps de travail en supprimant ce que l'enfant est incapable de réaliser tant qu'il ne parvient pas à lire et écrire. Mais si le maître n'accepte pas l'intervention des parents, ceux-ci devront choisir : soit laisser l'école agir sans intervenir, soit prendre en mains l'apprentissage de l'écrit pour leur enfant. Dans ce dernier cas, ils décideront eux-mêmes des allègements à apporter au travail du soir (par exemple lire à l'enfant ses leçons pour qu'il les apprenne par oral, ne pas lui faire apprendre de mots en dehors de ceux qu'il peut lire et écrire au stade de la méthode auquel il est arrivé...) et accepter que les notes scolaires de l'enfant soient faibles.

Se pose également la question de l'introduction de l'orthophonie dans l'aide à apporter à l'enfant.

Traiter un enfant qui présente des difficultés de prononciation de la langue orale, un bégaiement ou une dysphasie entre directement dans le domaine d'activités de l'orthophoniste. Il en est de même de la rééducation des véritables dyslexiques. L'orthophonie est née du besoin d'apporter aux élèves victimes de ces troubles une rééducation qui est du domaine médical et se fonde sur des procédés d'apprentissage phonologique et alphabétique.

Mais les orthophonistes ne sont pas là pour se substituer à l'enseignant chargé d'apprendre à lire aux enfants, ce qu'ils font pourtant souvent. Ils se plaignent de cette situation qui surcharge lourdement leur emploi du temps et les empêche de prendre en charge, dans des délais raisonnables, des élèves qui ne peuvent se passer de leur aide. C'est une des raisons qui conduit de nombreux orthophonistes à conseiller aux parents de débuter ou de poursuivre l'apprentissage de l'écrit avec les méthodes que nous proposons. Il n'est pas rare non plus que ces praticiens fassent leur travail de rééducation auprès des dyslexiques et demandent ensuite aux parents de continuer la mise en place des connaissances de la langue écrite avec nos méthodes d'apprentissage de la lecture, de l'écriture et de l'orthographe.

Un second point mérite d'être signalé : les orthophonistes ne peuvent recevoir les enfants qu'une demi-heure, une ou deux fois par semaine. Or ce que nous connaissons du mode d'apprentissage des neurones montre qu'il est plus efficace, pour résorber les difficultés d'apprentissage de l'écrit, d'agir par des séances courtes (environ quinze minutes) mais journalières que d'y consacrer une demi-heure une à deux fois par semaine.

Les parents disposent maintenant d'informations suffisantes pour comprendre l'importance des choix pédagogiques dans l'acquisition des savoirs ainsi que dans le développement de l'intelligence. Ils peuvent donc opérer leur choix en connaissance de cause.

Peut-on apprendre à lire à l'enfant avant le CP ?

Pour éviter de se heurter à des difficultés en CP, beaucoup de parents se demandent s'il n'est pas préférable d'anticiper l'apprentissage de la lecture et de l'écriture avant l'entrée dans cette classe. Est-ce une bonne solution et existe-t-il un âge pour apprendre à lire et écrire ?

Il n'y a pas de réponse systématique à cette question. Tout dépend de l'évolution de chaque enfant et de l'intérêt qu'il porte à l'expression écrite. Il faut savoir qu'à l'école, la grande section de maternelle est aujourd'hui la première classe du cycle 2 des apprentissages fondamentaux. L'apprentissage de la lecture s'appuie sur des méthodes identiques à celles du CP, avec la « reconnaissance » des prénoms, des « mots-outils », des « phrases-repères », et toutes les pratiques que nous avons indiquées au chapitre 6. Il m'arrive de plus en plus souvent de rencontrer des enfants chez lesquels on parle d'échec en maternelle !

Lorsqu'on connaît les stades de l'évolution de l'enfant et l'importance d'une stimulation qui favorise le développement des aptitudes dans les domaines qui conditionnent l'apprentissage du langage, aussi bien sous sa forme orale que sous sa forme écrite, on peut en conclure que **la pratique d'exercices destinés à développer les compétences dont le cerveau a besoin pour réaliser ces tâches ne peut qu'être bénéfique.**

À noter

La situation idéale consiste à intégrer dans les activités journalières de l'enfant les exercices de reproduction, puis de discrimination des sons, ainsi que l'initiation au graphisme dès que l'enfant peut s'intéresser à ces activités.

Si vers l'âge de cinq ans, tous les éléments proposés sont bien maîtrisés, il est possible, et même souhaitable, de commencer l'apprentissage conjoint de la lecture et de l'écriture, avec une pédagogie qui réponde aux exigences du fonctionnement cérébral : cela permettra d'avancer de manière logique dans l'acquisition de ces savoirs.

Certains enfants plus jeunes manifestent un vif intérêt pour la lecture alors qu'aucun apprentissage préparatoire n'a été pratiqué antérieurement. Il est tout à fait possible de commencer directement par la méthode d'apprentissage de la lecture et de l'écriture, car celle-ci contient la description précise de tous les exercices moteurs, plurisensoriels et graphiques qui doivent être pratiqués lors de chaque leçon.

En revanche, quel que soit l'âge, **pour entreprendre l'apprentissage de la lecture et de l'écriture, il faut attendre que l'enfant présente pour ces activités une véritable motivation** ; celle-ci peut s'exprimer clairement ou se traduire par des questions fréquentes sur la signification des mots qu'il rencontre dans la vie journalière.

Avec l'expérience, il apparaît maintenant de manière claire que la grande section de maternelle est l'âge optimum pour débuter l'apprentissage conjoint de la lecture et de l'écriture. Celui-ci n'a pas pour but d'être terminé en début de CP. Il sera alors mené à son terme sans qu'en soit modifié, sous aucun prétexte, l'ordre des apprentissages choisi dans la méthode. On détruirait sinon la construction logique de cette pédagogie et on introduirait dans la lecture des erreurs évitées jusque-là. La solution idéale, en l'occurrence, est de ne pas faire lire à l'enfant son texte de lecture du soir mais de le lui lire et de le lui faire apprendre comme une récitation pour le lendemain. Petit à petit, l'écart entre la lecture pratiquée à la maison et celle de la classe se réduira, mais votre enfant lira vraiment, tandis que beaucoup de ses camarades en seront réduits à « retenir des mots par cœur » et à faire des « hypothèses de sens » pour deviner ce qu'ils ne pourront pas lire. En fin d'année, votre enfant sera capable de lire sur n'importe quel support et il pourra écrire sans faute, sous la dictée, tous les mots dont l'apprentissage de la lecture suffit pour en maîtriser l'orthographe. Il se trouvera alors dans d'excellentes conditions pour poursuivre sa scolarité.

L'objectif à atteindre en commençant la lecture vers cinq ans n'est pas d'avoir terminé la totalité de l'apprentissage avant l'entrée en CP pour passer directement en CE1. Ce saut de classe peut être préjudiciable à l'enfant si celui-ci n'a pas encore acquis une vitesse suffisante de lecture et de rapidité dans la production de l'écrit. D'autre part, l'apprentissage au CP ne se limite pas à la lecture et à l'écriture. Son programme comporte d'autres disciplines, en particulier l'abord de la numération et du calcul. De plus, l'enfant, encore très jeune, peut éprouver des difficultés en CE1 pour suivre le rythme de la classe. Sauf cas particuliers à prendre en compte individuellement, **l'idéal est que l'enfant entre au CP en ayant déjà une bonne connaissance de la lecture et de l'écriture** : cela lui permettra de terminer la méthode, de perfectionner ses acquis et de poursuivre un développement harmonieux, tandis que ses circuits du langage se mettront en place selon une bonne structuration.

Les difficultés de lecture sont découvertes après le CP

Nous l'avons évoqué précédemment, il est hélas très fréquent de rencontrer des enfants de CE1, CE2 et même de CM1 et CM2, quand ce n'est pas en collège ou au lycée, qui ne savent pas lire ou lisent si difficilement qu'ils sont incapables de comprendre le sens du texte et d'en utiliser les consignes.

Beaucoup sont incapables de lire à voix haute un texte simple de dix lignes ou, s'ils parviennent péniblement à le déchiffrer, ne peuvent en résumer le contenu. Ils ne savent donc pas lire. Dans ces cas, la solution qui s'impose est de reprendre en totalité l'apprentissage conjoint de la lecture et de l'écriture, en y intégrant bien évidemment tous les exercices préconisés. Lorsqu'il s'agit d'enfants plus âgés ou d'adultes, une démarche identique doit être suivie en expliquant que les exercices demandés ne sont pas réservés aux enfants. Ils sont destinés à entraîner le cerveau à accomplir des tâches qu'il ne sait pas bien faire, ce qui est la cause de leur échec en lecture. L'ensemble du travail est alors très bien accepté.

Pour que la méthode puisse être pratiquée chaque jour vingt à trente minutes, **il ne faut pas oublier d'alléger l'emploi du temps de ces enfants qui peinent à l'écrit et n'y subissent que des échecs**. Si cela peut se faire avec l'accord du maître, nous nous trouvons alors dans la configuration idéale. Si ce n'est pas le cas, il faut savoir, comme avec les plus petits, ruser et exécuter à la place de l'enfant les exercices qu'il est incapable de réussir tant qu'il ne maîtrisera pas l'écrit. Pour les leçons à apprendre, la meilleure solution consiste à les lui lire et à les lui faire apprendre oralement, en sachant qu'il restituera son savoir par écrit comme il le pourra. Il faut donc accepter les conséquences de cette situation et ne pas tenir compte des notes obtenues en classe dans toutes les matières qui nécessitent l'usage de la lecture et de l'écriture. Au fur et à mesure de l'apprentissage de la lecture, la situation s'améliorera et les enseignants constateront des progrès. L'enfant lui-même, conscient de parvenir à lire, prendra peu à peu confiance en lui, ce qui est essentiel pour la poursuite harmonieuse de son développement intellectuel et psychoaffectif.

Lorsque l'enfant parvient à lire et comprend ce qu'il lit, malgré la présence dans sa lecture de nombreuses erreurs, il est possible de consolider la maîtrise de la lecture par l'apprentissage de l'orthographe qui, grâce aux procédés pédagogiques employés, permet de normaliser la lecture. Nous y revenons ci-dessous en traitant des solutions à proposer aux élèves dysorthographiques.

Comment résoudre les difficultés en orthographe chez l'enfant, l'adolescent ou l'adulte

Nous avons vu quelles sont les caractéristiques d'une pédagogie optimisée de l'orthographe. Or, les consignes pédagogiques demandent aux enseignants de réduire le plus possible l'apprentissage directif et explicite, pour laisser l'enfant « construire lui-même son savoir » à partir des textes et des « dictées à l'adulte » : elles portent par conséquent une lourde responsabilité dans la situation actuelle. Comme nous l'avons vu pour la lecture et l'écriture, les pratiques utilisées pour apprendre l'orthographe se situent aux antipodes des attentes du cerveau en ce domaine.

Il arrive donc très souvent que les parents soient, là encore, dans l'obligation d'intervenir pour corriger la dysorthographie intolérable de leur enfant. Cette intervention sera plus facilement acceptée par l'enfant s'il a la chance d'avoir un maître qui lui fait remarquer ses carences et y attache de l'importance. Par contre, si la tolérance de l'école est grande en ce domaine, il acceptera mal que ses parents soient plus exigeants que son maître. Vivant dans le présent, l'enfant est peu sensible aux arguments portant sur les réalités qui l'attendent. Ce n'est souvent que bien plus tard, en fin de collège, de lycée ou dans l'enseignement supérieur que l'élève prend conscience de son handicap. Il est alors motivé pour le vaincre mais se trouve dans une situation peu confortable, avec des examens ou des concours proches. Il va devoir fournir un travail important chaque jour, à un moment où les exigences sont telles qu'il ne lui reste pratiquement plus de temps pour se détendre.

Depuis plusieurs années, je constate, personnellement, qu'un nombre de plus en plus important d'élèves suivant des classes préparatoires aux grandes écoles ou envisageant d'autres types d'études également très sélectives vivent ce genre de situation très inconfortable. Il est regrettable qu'une réaction plus précoce n'ait pas eu lieu, à un moment où il était encore facile de consacrer chaque jour vingt à trente minutes de travail pour résorber tranquillement les difficultés.

À noter

| C'est en fin de primaire et en collège qu'il est le plus facile de corriger ce handicap.

Il ne faut pas oublier que le dysorthographique peine toute la journée à l'école, rentre plus fatigué le soir à la maison que les autres enfants. Dans ces conditions, on comprend son manque d'enthousiasme pour faire ses devoirs et, à plus forte raison, pour exécuter un travail supplémentaire. Il est donc indispensable que l'enfant comprenne que ses parents ne veulent pas toujours en « rajouter un peu plus » mais qu'ils sont conscients de ses difficultés et ne le blâment pas pour ses échecs. Il doit comprendre qu'ils sont décidés à l'aider dans son travail pour qu'il l'exécute plus rapidement, afin que le temps libre dont il a besoin pour se détendre ou réaliser les activités qui lui plaisent ne diminue pas comme une peau de chagrin. Il est possible, par exemple, de lui lire ses leçons et de le faire répondre oralement aux questions que vous lui poserez. Pour le travail écrit, vous pouvez lui demander de vous dicter ce qu'il doit faire. Vous l'écrivez et il se contentera de le recopier. Cette attitude est la clé de l'acceptation du travail demandé et de son application très régulière, surtout chez l'adolescent, avec lequel il faut toujours savoir faire preuve de diplomatie pour ne pas aggraver les conflits que les mauvais résultats scolaires ne manquent pas de générer.

La technique mise au point pour optimiser l'apprentissage de l'orthographe[1] a pour but, comme nous l'avons indiqué précédemment :

- de perfectionner l'acquisition du lien entre graphèmes et phonèmes par l'épellation ;
- de permettre la mise en catégories des mots par l'analyse systématique de chacun d'eux ;
- de catégoriser et rationaliser l'apprentissage des règles orthographiques avec leurs exceptions pour favoriser un apprentissage logique de la langue et alléger ainsi le travail de mémorisation ;
- d'automatiser les connaissances acquises par l'effet de répétition.

Les résultats obtenus sont spectaculaires, à condition que deux éléments soient réunis :

- **L'accord de l'enfant ou de l'adolescent pour exécuter ce travail.** Cela ne sera possible, comme nous l'avons indiqué ci-dessus, que si l'élève a la certitude que son temps de travail sera par ailleurs allégé ou facilité.
- **La capacité des parents à se motiver de manière durable** pour consacrer à leur enfant quinze à vingt minutes par jour, de manière systématique, au moins cinq jours sur sept. Cela paraît peu de chose, d'autant plus qu'il n'y a aucun travail de préparation à accomplir. Cependant, la tentation est forte certains jours, en fonction des obligations de la vie matérielle, surtout dans une famille comptant plusieurs enfants, de reporter ce travail au lendemain en se disant qu'on y consacrera alors un peu plus de

---

1. France Badour a créé pour Fransya une pédagogie de l'orthographe, simple d'emploi aussi bien pour les parents qui veulent aider leurs enfants que pour les adultes qui peuvent travailler de manière autonome ; son efficacité est due au fait qu'elle répond aux exigences du fonctionnement du cerveau dans l'apprentissage du langage écrit. Cette méthode est également applicable en milieu scolaire ou associatif pour des groupes d'élèves en difficulté.

temps. C'est une erreur grossière car on prive ainsi l'enfant de l'effet de répétition à intervalles rapprochés, fondamental dans la création des circuits cérébraux.

À noter

> Une heure de travail en une seule séance ne permettra jamais d'obtenir les mêmes résultats qu'un quart d'heure effectué quotidiennement sur quatre jours.

Cet enfant qui subit beaucoup de traumatismes en raison de son échec est très généralement réconforté, même s'il ne le montre pas au début, par le fait qu'on lui consacre, à lui seul, du temps pour l'aider à progresser.

Signalons que, **ce travail étant un soutien, il doit être exercé dans la sérénité et dans un esprit positif : la personne qui fait travailler l'enfant doit insister sur ses réussites** et s'abstenir de commentaires sur les inévitables fautes qu'il commet. Celles-ci diminueront peu à peu, le graphisme s'améliorera aussi spontanément, ainsi que la lecture, dont la qualité progressera nettement grâce au recours systématique à l'épellation.

Les enfants qui lisent lentement, en commettant des erreurs qu'ils corrigent souvent eux-mêmes, constatent rapidement que la pratique de la méthode d'apprentissage de l'orthographe leur permet en même temps de résoudre leur problème de lecture déficiente, d'en fluidifier le rythme, d'en améliorer la compréhension et de corriger leur dysorthographie par des techniques simples, interactives et dynamiques qui retiennent leur intérêt.

Enfin, et c'est là, à mon avis, le point le plus important, la pratique systématique de l'analyse de chaque mot et l'explicitation du rôle de chacun d'eux dans la phrase conduisent à mettre en place des repères qui facilitent l'usage des fonctions de conceptualisation. On aboutit ainsi à la fois à la maîtrise d'un savoir-faire dans la pratique de la langue écrite, et à **une stimulation des aptitudes qui entrent dans le développement de la pensée conceptuelle.**

Permettre à une pédagogie d'apporter un maximum de connaissances et de développer le plus possible les aptitudes intellectuelles de chacun, n'est-ce pas répondre de manière concrète à l'objectif que se fixent tous les parents responsables : « élever » le plus efficacement possible leurs enfants ?

CONCLUSION

L'objectif de cet ouvrage est de mettre en évidence l'importance du rôle des parents dans le développement intellectuel de l'enfant et de leur donner les moyens de contribuer activement à celui-ci, de la naissance à l'adolescence, et tout particulièrement dans le domaine de l'acquisition du langage oral et écrit.

Ils savent désormais comment prévenir, dépister et corriger efficacement les difficultés et mettre en place les structures cérébrales dont leur enfant a impérativement besoin pour maîtriser l'écrit.

Ils sont également avertis du fait qu'il leur faut faire preuve d'une grande vigilance pour apporter à leur enfant, dès le plus jeune âge, une bonne connaissance de la langue orale, indispensable pour aborder ultérieurement l'écrit dans de bonnes conditions.

Ils sont capables de découvrir les indices annonciateurs ou révélateurs de l'échec afin de pouvoir intervenir efficacement pour combler les lacunes de leur enfant, en sachant qu'il est possible d'y parvenir quel que soit son âge.

Tout cela est non seulement indispensable pour lui apporter les savoir-faire nécessaires à l'acquisition d'un grand nombre d'apprentissages ultérieurs, mais aussi pour lui donner les moyens de se construire des circuits cérébraux performants, qui lui permettront d'utiliser le plus efficacement possible ses capacités d'analyse, de synthèse et d'abstraction, piliers essentiels de l'intelligence conceptuelle.

Ils sont donc maintenant armés pour agir efficacement.

INDEX

BIBLIOGRAPHIE

ADAMS, M. 1990. *Beginning to Read: Thinking and Learning about Print.* Cambridge, MA : MIT Press.

ADAMS, M. J., TREIMAN, R., & PRESLEY, M. 1996. « Reading, Writing, and Literacy ». In SIGEL, I., RENNINGER, A. (Eds), *Handbook of Child Psychology, Volume 4 : Child Psychology in Practice.* New York : Wiley.

AYLWARD, E. H., RICHARDS, T. L., BERNINGER, V. W., NAGY, W. E., FIELD, K. M., GRIMME, A. C. & al. 2003. « Instructional Treatment Associated with Changes in Brain Activation in Children with Dyslexia ». *Neurology*, 22, 212-219.

BALL, E. 1993. « Assessing Phoneme Awareness ». *Language, Speech, and Hearing Services in the Schools*, 24, 130-139.

BALL, E. W. & BLACHMAN, B. A. 1991. « Does Phoneme Awareness Training in Kindergarten Make a Difference in Early Word Recognition and Developmental Spelling? » *Reading Research Quaterly*, 26, 49-66.

BECK, I & JUEL, C. 1995. « The Role of Decoding in Learning to Read ». *American Educator*, 19 : 8, 21-25, 39-42.

BECK, I. L., PERFETTI, C. A., & McKEOWN, M. G. 1982. « Effects of Long-Term Vocabulary Instruction on Lexical Access and Reading Comprehension ». *Journal of Educational Psychology*, 74(4), 506-521.

BERTELSON, P. 1986. « The Onset of Literacy: Liminal Remarks ». *Cognition*, 24 : 1-30.

BERTONCINI, J., FLOCCIA, C., NAZZI, T., & MEHLER, J. 1995. « Morae and Syllabes: Rythmical Basis of Speech Representations in Neonates ». *Language and Speech*, 38, 311-329.

BERTHOZ, A., PETIT, L., 1996. « Les Mouvements du regard : une affaire de saccades ». *La Recherche*, n° 289, p. 58-65.

BLACHMAN, B., BALL, E., BLACK, R., & TANGEL, D. 1994. « Kindergarten Teachers Develop Phoneme Awareness in Low-Income,

Inner-City Classrooms: Does It Make a Difference? » *Reading and Writing: An Interdisciplinary Journal*, 6, 1-18.

BRADLEY, L., & BRYANT, P. 1983. « Categorizing Sounds and Learning to Read: a Causal Connexion ». *Nature*, 301 : 419-421.

BRADLEY, L. & BRYANT, P. 1985. *Rhyme and Reason in Reading and Spelling*. International Academy for Research in Learning Disabilities, Monograph Series, 1, 75-95. Ann Arbor, MI : The University of Michigan Press.

BRETT, A., ROTHLEIN, L., & HURLEY, M. 1996. « Vocabulary Acquisition from Listening to Stories and Explanation of Target Words ». *Elementary School Journal*, (4), 415-422.

BROWN, I., & FELTON, R. 1990. « Effects of Instruction on Beginning Reading Skills in Children at Risk for Reading Disability ». *Reading and Writing: An Interdisciplinary Journal*. 2, 223-241.

BRUCK, M. 1992. « Persistence of Dyslexics' Phonological Awareness Deficit ». *Developmental psychology*, 28, 874-886.

BRUCK, M. 1993. « Component Spelling Skills of College Students with Childhood Diagnoses of Dyslexia ». *Learning Disability Quaterly*, 16, 171-184.

BYRNE, B., & FIELDING-BARNSLEY, R. 1991. « Evaluation of a Program to Teach Phonemic Awareness to Young Children ». *Journal of Educational Psychology*, 83, 451-455.

BYRNE, B., & FIELDING-BARNSLEY, R. 1993. « Evaluation of a Program to Teach Phonemic Awareness to Young Children: A 1-Year Follow-up ». *Journal of Educational Psychology*, 85, 104-111.

BYRNE, B., & FIELDING-BARNSLEY, R. 1995. « Evaluation of a Program to Teach Phonemic Awareness to Young Children: A 2-Year and 3-Year Follow-up and a New Preschool Trial ». *Journal of Education Psychology*, 87, 488-503.

CALFEE, R. C., & PIAOTKOWSKI, D. C. 1998. « The Reading Diary: Acquisition of Decoding ». *Reading Research Quarterly*, 16, 346-373.

CAMBRIER, J., VERSTICHEL. P. 1998. *Le Cerveau réconcilié*. Paris, Masson.

CARPENTER, P. A., & JUST, M. A. 1993. « What your Eyes do While your Mind is Reading ». In K. RAYNER (Ed.), *Eye Movements in Reading: Perceptual and language processes* (p. 275-307). New York : Academic press.

CHALL, J. S. 1983. *Learning to Read: The Great Debate* (2nd Ed.). New York, NY : McGraw-Hill.

CHALL, J. S. 1996a. *Learning to Read. The Great Debate* (revised, with a new foreword). New York, NY : McGraw-Hill.

CUNNINGHAM, A. E. 1990. « Explicit versus Implicit Instruction in Phonemic Awareness ». *Journal of Experimental Child Psychology*, 50, 429-444.

DAMASIO, A., DAMASIO, H. 1992. « Le cerveau et le langage ». *Pour la science*, n° 181, 80-87.

DAVIDSON, J., ELCOCK, J., & NOYES, P. 1996. « A Preliminary Study of the Effect of Computer-Assisted Practice on Reading Attainment ». *Journal of Research in Reading*, 19(2), 102-110.

DAVIDSON, M., & JENKINS, J. 1994. « Effects of Phonemic Processes on Word Reading and Spelling ». *Journal of Educational Research*, 87, 148-157.

DEHAENE, S. 1995. « Electrophysiological Evidence for Category Specific Word Processing in the Normal Human Brain ». *Neureport*, 6 (16) 2153-2157.

DEHAENE-LAMBERTZ, G., & DEHAENE, S. 1994. « Speed and Cerebral Correlates of Syllabe Discrimination in Infants ». *Nature*, 370, 292-295.

DOLE, J. A., SLOAN, C., & TRATHEN, W. 1995. « Teaching Vocabulary within the Context of Literature ». *Journal of Reading*, 38, (6), 452-460.

EHRI, L. 1994. « Development of the Ability to Read Words: Update ». In RUDDELL, R., RUDDELL, M. & SINGER, H. (Eds.) *Theoretical models and processes of reading*, 4th ed. p. 323-358. Newark, DE : International reading Association.

ELBERT, T. & ROCKSTROH, B. 1996. « Une empreinte dans le cortex des violonistes ». *La Recherche*, n° 289.

EVERATT, J., & UNDERWOOD, G. 1994. « Individual Differences in Reading Subprocesses: Relationships between Reading Ability, Lexical Access, and Eye Movement Control ». *Language and speech*, 37, 283-297.

EVERATT, J., BRADSHAW, M. F., & HIBBARD, P. B. 1998. « Individual Differences in Reading and Eye Movement Control ». In G. UNDERWOOD (Ed.), *Eye guidance in reading and scene perception* (p. 223-242). Oxford, England : Elsevier.

FAURE, S. & BLANC-GARIN, J. 1994. « Right-Hemisphere Semantic Performance and Competence in a Case of Partial Interhemispheric Disconnection ». *Brain and language*, 47 : 557-581.

FAWCETT, A., & NICHOLSON, R. 1995. « Persistence of Phonological Awareness Deficits in Older Children with Dyslexia ». *Reading and Writing: An Interdisciplinary Journal.* 7, 361-376.

FELTON, R. 1993. « Effects of Instruction on the Decoding Skills of Children with Phonological Processing Problems ». *Journal of learning Disabilities*, 26, 583-589.

FIELDING-BARNSLEY, R. 1997. « Explicit Instruction in Decoding Benefits Children High in Phonemic Awareness and Alphabet Knowledge ». *Scientific Studies of reading*, 1, 85-98.

FILIPEK, P. 1996. « Structural Variations in Measures in the Developmental Disorders ». In R. THATCHER, G. LYON, J. RUMSEY, N. KRASNEGOR (Eds), *Developmental Neuroimaging: Mapping the Development of Brain and behavior* (p. 169-186). San Diego, CA : Academic Press.

FLETCHER, J. M., & LYON, G. R. 1998. « Reading: A Research-Based Approach ». In W. EVERS. (Ed.) *What's Wrong in America's Classrooms?* p. 49-90. Stanford, CA : Hoover Institute Press.

FLETCHER, J. M., FOORMAN, B. R., BOUDOUSQUIE, A. B., BARNES, M. A., SCHATSCHNEIDER, C. & FRANCIS, D. J. 2002. « Assessment of Reading and Learning Disabilities: A Research-Based, Intervention-Oriented Approach ». *Journal of school Psychology*, 40, 27-63.

FOORMAN, B. R. 2003. *Preventing and Remediating Reading Difficulties.* Baltimore : York Press.

FOORMAN, B. R., CHEN, D. T., CARLSON, C., MOATS, L., FRANCIS, D. J., & FLETCHER, J. M. 2003. « The Necessity of the Alphabetic

Principle to Phonemic Awareness Instruction ». *Reading and Writing*, 16, 289-324.

FLETCHER, J. M., SIMOS, P. G., PAPANICOLAOU, A. C., DENTON, C. 2002. « Neuroimaging in Reading Research ». *American Education Research Journal* (summer 2002).

FLETCHER, J. M., LYON, R. *Reading: A Research-Based Approach*. Reprinted from *What's Gone Wrong in America's Classrooms*, edited by EVERS W. M., with the permission of the publisher, Hoover Institution Press. Copyright 1998 by the Board of Trustees of the Leland Stanford Junior University.

FOORMAN, B. R., NOVY, D. M., FRANCIS, D. J, & LIBERMAN, D. 1991. « How Letter-Sound Instruction Mediates Progress in First-Grade Reading and Spelling ». *Journal of Education Psychology*, 83, 456-469.

FOORMAN, B. R., FRANCIS, D. J., FLETCHER, J. M., SCHATSCHNEIDER, C., & MEHTA, P. 1998. « The Role of Instruction in Learning to Read: Preventing Reading Failure in At-Risk Children ». *Journal of Education Psychology*, 90 : 37-55.

FRANCIS, D. J., & FLETCHER, J. M. 2003. « The Necessity of the Alphabetic Principle to Phonemic Awareness Instruction ». *Reading and Writing*, 16, 289-324.

FRANCO, L., & SPERRY, R. W. 1977. « Mind-Brain Interaction: Mentalism, Yes, Dualism, No ». *Neuropsychologia*, 15(1) : 107-14.

GALABURDA, A. M. 1985. « La dyslexie et le développement du cerveau ». *La Recherche*, 16 : 167, 762-769.

GALABURDA, A. M., CORSIGLIA, J., ROSEN, G. D. & SHERMAN, G. F. 1987. « Planum Temporale Asymmetry: Reappraisal since GESHWIND and LEVITSKY ». *Neuropsychological*, 25 : 853-868.

GAZZANIGA, M. S., & SPERRY R. W. 1967. « Language after Section of Cerebral Commissures ». *Brain*, 90 : 131-148.

GESCHWIND, N. 1970. « Language and the Brain ». *Scientific American*, 226 : 76-83.

GOUGH, P. B., EHRI, L. C., & TREIMAN, R. 1991. *Reading Acquisition*. Hillsdale, NJ : Lawrence Erlbaum.

GOSWANI, U., & BRYANT, P. 1990. *Phonological Skills and Learning to Read*. Hove : Lawrence Erlbaum.

GOTTARDO, A. J., SIEGEL, L. S. & STANOVITCH, K. E. 1997. « The Assessment of Adults with Reading Disabilities: what Can we Learn from Experimental Tasks? » *Journal of Research in Reading*, 20, 42-54.

GROSS-GLEN, K., DUARA, R., BARKER, W. W., LOWENSTEIN, D., CHANG, J. Y., YOSHII, F., APICELLA, A. M., PASCAL, S., BOOTHES, T., SEUUSH, S., JALLAD, B. J., NOVOA, L., & LUBS, H. A. 1991. « Positron Emission Tomographic Studies during Serial Word-Reading by Normal and Dyslexic Adults ». *Journal of Clinical and Experimental Neuropsychology*, 13, 531-544.

HABIB, M. 1997. *Dyslexie : le cerveau singulier*. Marseille, Solal.

HABIB, M., CECCALDI, M., & PONCET, M. 1990a. « Syndrome de déconnexion calleuse par infarctus jonctionnel hémisphérique gauche ». *Revue de neurologie* (Paris), 146(1) : 19-24.

HABIB, M., & GALABURDA, A. M. 1994. « Fondements neuroanatomiques et neurobiologiques du langage ». In X. SÉRON et M. JEANNEROD (eds.). *Neuropsychologie humaine*. Liège. P. Mardaga.

HABIB, M., & ROBICHON, F. 1996. « Parietal Lobe Morphology Predicts Phonological Skills in Developmental Dyslexia ». *Brain Cogn.*, 32, 139-142.

HABIB. M., ROBICHON, F. & DEMONET, J. F. 1996. « Le singulier cerveau des dyslexiques ». *La Recherche*, n° 289, p. 80-85.

HATCHER, P., HULME, C., & ELLIS, A. 1994. « Ameliorating Early Reading Failure by Integrating the Teaching of Reading and Phonological Skills: The Phonological Linkage Hypothesis ». *Child Development*, 65, 41-57.

HELLER, J. H., STURNER, R. A., FUNK, S. G., & FEEZER, M. D. 1993. « The Effect of Input Mode on Vocabulary Identification Performance at Low Intensity ». *Journal of Educational Computing Research*, 9(4), 509-518.

HERMAN, P. A. 1985. « The Effect of Repeated Readings on Reading Rate, Speech Pauses, and Word Recognition Accuracy ». *Reading Research Quarterly*, 20, 553-565.

HORWITZ, B., RUMSEY, J. M., & DONOHUE, B. C. 1998. « Functional Connectivity of the Angular Gyrus in Normal Reading and Dyslexia ». *Proceedings of the National Academy os Sciences USA*, 95, 8939-44.

IMBERT, M. 1999. « Le cerveau et la vision ». *Cerveau et machines*. Chapitre 7. Hermès Science.

IWATA, M., 1986. « Neural Mechanism of Reading and Writing in the Japanese Language ». *Functional Neurology*. Vol. 1.

KANDEL, E. 1979. « Les petits systèmes de neurones ». *Pour la Science*, n° 25, p. 37-47.

KANDEL, E., & HAWKINS, R. 1992. « Les bases biologiques de l'apprentissage ». *Pour la Science*, n° 181.

KAMHI, A. G. & CATTS, H. W. 1989. *Reading Disabilities: A Developmental Language Perspective*. Boston : College-Hill Press.

KING, R., & TORGESEN, J. K. 2003. *Improving the Effectiveness of Reading Instruction in One Elementary School*. Technical Report N° 3. Tallahasse, FL : Florida Center for Reading Research.

KLINKENBERG, T., HEDEHUS, M., TEMPLE, E., SALZ, T., GABRIELI, J., MOSELEY, M., & POLDRACK, R. 2000. « Microstructure of Temporo-Parietal White Matter as a Basis for Reading Ability: Evidence from Diffusion Tensor Magnetic Resonance Imaging ». *Neuron*, 25, 493-500.

LAVIGNE, F., VITU, F. & d'YDEWALLE, G. 2000. « The Influence of Semantic Context on Initial Eye Landing Sites in Words ». *Acta Psychologica* 104, 191-214.

LEEGE G. E., ANH S. J., KLITZ, T. S., & LUEBKER, A. 1997. « Psychophysics of reading: XVI. The Visual Span in Normal and Low Vision ». *Vision Research*, Vol. 37, N° 14 (p. 1999-2010).

LEONARD, C. M., LOMBARDINO, L. J., MERCADO, L. R., BROWD, S. R., BREIER, J. I., & AGEE, O. F. 1996. « Cerebral Asymmetry and Cognitive Development in Children: A Magnetic Resonance Imaging Study ». *Psychological Science*, 7, 89-95.

LEUNG, C. B. 1992. « Effects of Word-Related Variables on Vocabulary Growth Repeated Read-Aloud Events ». In KINZER, C. K., & LEU, D. J. (Eds.). *Literacy research, theory and practice: Views from Many Perspectives: Forthy-First Yearbook of the National Reading Conference* (p. 491-198). Chicago, IL : the National Reading Conference.

LIBERMAN, A. M. 1996. *Speech: A Special Code.* Cambridge, Mass : MIT Press.

LIBERMAN, I. Y., SHANKWEILER, D. P, & LIBERMAN, A. 1989. *The Alphabetic Principle and Learning to Read.* Bethesda, MD : U. S. Department of Health and Human Services, National Institute of Child Health and Human Development. Bethesda, USA.

LIENARD, J. S. 1999. « Perception naturelle et perception artificielle ». *Cerveau et machines.* Chapitre 4. Hermès Sciences publications.

LUNDBERG, I., FROST, J., & PETERSEN, O. 1988. « Effects of an Extensive Program for Stimulating Phonoligical Awareness in Preschool Children ». *Reading Research Quarterly*, 23, 263-284.

LYON, G. R. 1995a. « Research Initiatives in Learning Disabilities: Contribution from Scientists Supported by the National Institute of Child Health and Human Development ». *Journal of child Neurology*, 10, 120-126.

LYON, G. R., & CHHABRA, V. 1996. « The Current State of Science and the Future of Specific Reading Disability ». *Mental Retardation and Developmental Disabilities Research Reviews* 2 : 2-9.

LYON, G. R. & FLETCHER, J. M. 2001. *Early Identification, Prevention and Early Intervention for Children At-Risk for Reading Failure.* Publication of the Council for Basic Education, October 15.

LYON, G. R., FLETCHER, J. M., SHAYWITZ, S. E., SHAYWITZ, B. A., TORGENSEN, J. K., WOOD, F. B., SCHULTE, A. & OLSON, R. 2001. « Rethinking Learning Disabilities ». In FINN, C. E. Jr., ROTHERMAN, R. A, & HOKANSON, C. R. Jr. (Eds). *Rethinking Special Education for a New Century* (p. 259-287). Washington, DC : Thomas B. Fordham Foundation and the Progressive Policy Institute.

LYON, G. R., FLETCHER, J. M., & BARNES, M. C. 2002. « Learning Disabilities ». In MASH, E. J. & BARKLEY, R. A. (Eds.) *Child psychopathology* (p. 520-586) (Second Edition). New York : Guilford.

MANN, V. 1987. « Phonological Awareness: The Role of Reading Experience ». In Bertelson, P. (Ed), *The Onset of Literacy: Cognitive Processes in Reading Acquisition*, p. 65-92. Cambridge, MA : The MIT Press.

McCONKIE, G. W. & RAYNER, K. 1975. « The Span of the Effective Stimulus during a Fixation in Reading ». *Perception and Psychophysics*, 17, 578-586.

McCONKIE, G. W. & ZOLA, D. 1981. « Language Constaints and the Functional Stimulus in Reading ». In A. M. LESGOLD & C. A. PERFETTI (Eds). *Interactive Processes in Reading* (p. 155-175) Hilldsdale, NJ : Erlbaum.

McCONKIE, G. W., BERTHOZ, A., & PETIT, L. 1996. « Les mouvements du regard : une affaire de saccades ». *La Recherche*, n° 289, p. 58-65.

MEDO, M. A., & RYDER, R. J. 1993. « The Effects of Vocabulary Instruction on Reader's Ability to Make Causal Connexions ». *Reading Research and Instruction*, 33(2), 119-134.

MORAIS J., BERTELSON, P., CARY, L. & ALEGRIA, J. 1987. « Literacy Training and Speech Segmentation ». In BERTELSON, P. (Ed.) *The Onset of Literacy: Cognitive Processes in Reading Acquisition* (p. 45-64). Cambridge, MA : the MIT Press.

NATIONAL READING PANEL 2000: *Teaching Children to Read: An Evidence-Based Assessment of the Scientific Researh Literature on Reading and its Implications for Reading Instruction.* Reports of the Subgroups. NICHD (National Institute Of Child Health and Human Development). Bethesda, USA.

O'CONNOR, R., & JENKINS, J. 1995. « Improving the Generalization of Sound/Symbol Knowledge: Teaching Spelling to Kindergarten Children with Disabilities ». *The Journal of Special Education*, 29, 255-275.

PAILLARD, J. 1999. *Cerveau et machines.* Chapitre 3. Hermès Science.

PAPANICOLAOU, A. C., & BILLINGSLEY, R. L. 2003. « Functional Neuroimaging Contributions to Neurolinguistics ». *Journal of Neurolinguistics*, 16, 251-254.

PENNINGTON, B. F., FILIPEK, P. A., CHURCHWELL, J., KENNEDY, D. N., LEFLEY, D., SIMON, J. H., FILLEY, C. M., GALABURDA, A., ALARCON, M., & DeFRIES, J. C. 1996. « Brain Morphometry in Reading-Disabled Twins ». *Neurology*, 53, 723-729.

PERFETTI, C. 1985. *Reading Ability*. New York : Oxford Press.

PLOURDE, G., SPERRY, R. W. 1984. « Interhemispheric Communication after Section of the Forebrain Commissures ». *Brain*, Mar. (ptl) : 95-106.

POGORZELSKI, S., & WELDALL, K. 2002. « Do Differences in Phonological Processing Performance Predict Gains Made by Older Low-progress Readers Following Intensive Literacy Intervention? » *Educational psychology*, Vol. 22, n° 4.

POSNER, M. I. et ABDULLAEV, Y. G. 1996. « Dévoiler la dynamique de la lecture ». *La Recherche*, n° 289, p. 66-69.

PUGH, K. R., MENCL, W. E., SHAYWITZ, B. A., SHAYWITZ, S. E., FULBRIGHT, R. K., CONSTABLE, R. T., SKUDLARSKI, P., MARCHIONE, K. E., JENNER, A. R., FLETCHER, J. M., LIBERMAN, A. M., SHANKWEILER, D. P., KATZ, L., LACADIE, C., & GORE, J. C. 2000. « The Angular Gyrus in Developmental Dyslexia: Task-Specific Differences in Functional Connectivity within Posterioi Cortex ». *Psychological Science*, 11, 51-56.

RADACH, R., & KEMPE, V., 1993. « An Individual Analysis of Initial Fixation Positions in Reading ». In G. d'YDEWALLE & J. Van RENSBERGEN (Eds.), *Perception and Cognition: Advances in Eye Movement Research* (p. 213-226). Amsterdam : North Holland.

RAYNER, K. 1986. « Eye Movements and the Perceptual Span in Beginning and Skilled Readers ». *Journal of Experimental Child Psychology*, 41, 211-236.

RAYNER, K. 1998. « Eye Movements in Reading and Information Processing: 20 Years of Research ». *Psychological Bulletin*, 124, 372-422.

RAYNER, K., & DUFFY, S. A. 1988. « On-Line Comprehension Processes and Eye Movements in Reading ». In M. DANEMAN, G. E. MacKINNON, & T. G. WALLER (Eds.), *Reading Research: Advances in Theory and Practice* (p. 13-66). San Diego, C. A : Academic Press.

RAYNER, K. & POLLATSEK, A. 1994. *The Psychology of Reading*. Mahwah, NJ : Erlbaum.

RAYNER, K., SEREONO, S. C., LESCH, M. F. & POLLATSEK, A. 1995. « Phonological Codes Are Automatically Activated During Reading: Evidence from an Eye Movement Priming Paradigm ». *Psychological Science*, 6 : 26-31.

READ, C., ZHANG, Y., NIE, H., & DING, B. 1987. « The Ability to Manipulate Speech Sounds Depends on Knowing Alphabetic Writing ». In P. BERTELSON (Ed), *The Onset of Literacy: Cognitive Processes in Reading Acquisition* (p. 31-44), Cambridge, MA : The MIT Press.

RIBEN, L. & PERFETTI, C. A. 1991. *Learning to Read: Basic Research and its Implications*. Hillsdale, NJ : Lawrence Erlbaum.

RINALDI, L., SELLS, D., & McLAUGHLIN, T. F. 1997. « The Effects of Reading Racetracks on the Sight Word Acquisition and Fluency of Elementary Students ». *Journal of Behavioral Education*, 7(2), 219-233.

ROBBINS, C., & EHRI, L. C. 1994. « Reading Storybooks to Kindergartners Helps them Learn New Vocabulary Words ». *Journal of Educational Psychology*, 86(1), 541-64.

RUMSEY, J. M., ANDREASON, P., ZAMETKIN, A. J., AQUINO, T., KING, A., HAMBURGER, S., PILEUS, A., RAPPORT, J., & COHEN, R. 1992. « Failure to Activate the Left Temporoparietal Cortex in Dyslexia. An Oxygen 15 Positron Emission Tomographic Study ». *Archives of Neurology*, 49, 527-534.

RUMSEY, J. M., NACE, K., DONOHUE, B., WISE, D., MAISOG, J. M., & ANDREASON, P. 1997. « A Positron Emission Tomographic Study of Impaired Word Recognition and Phonological Processing in Dyslexic Men ». *Archives of neurology*, 54, 562-573.

RUMSEY, J. M., HORWITZ, B., DONOHUE, B. C., NACE, K., MAISON, J. M., ANDREASON, P. 1997. « Phonological and Orthographic Component of Recognition. A PET-rCBF study ». *Brain*, 120, 739-759.

SCANLON, D. M. & VELLUTINO, F. 1996. « Prerequisite Skills, Early Instruction, and Success in first-Grade Reading: Selected Results from a

Longitudinal Study ». *Mental Retardation and Developmental Disabilities Research Reviews*, 2, 54-63.

SENECHAL, M. 1997. « The Differential Effect of Storybook Reading on Preschoolers' Acquisition of Expressive and Receptive Vocabulary ». *Journal of Child Language*, 24(1), 123-138.

SENECHAL, M., & CORNELL, E. H. 1993. « Vocabulary Acquisition through Shared Reading Experiences ». *Reading Research Quarterly*, 28(4), 360-374.

SHARE, D. L. 1995. « Phonological Recoding and Self-Teaching: Sine Qua Non of Reading Acquisition ». *Cognition*, 55, 151-218.

SHARE, D., JORM, A., MACLEAN, R., & MATTHEWS, R. 1984. « Sources of Individual Differences in Reading Achievement ». *Journal of Educational Psychology*, 76, 1309-1324.

SHARE, D. E. & STANOVICH, K. E. 1995. « Cognitive Process in Early Reading Development: A Model of Acquisition and Individual Differences ». *Issues in Education: Contributions from educational psychology*, 1, 1-57.

SHAYWITZ, S. E. 1996. « Dyslexia ». *Scientific American*, 275 : 98-104.

SHAYWITZ, S. E. 1997. « La dyslexie ». *Pour la Science*, n° 231, 76-82.

SHAYWITZ, S. E., SHAYWITZ, B. A., PUGH, K. R., FULBRIGHT, R. K., CONSTABLE, R. T., MENCL, W. E., SHANKWEILER, D. P., LIBERMAN, A. M., SKUDLARSKI, P., FLETCHER, J. M., KATZ, L., MARCHIONE, K. E., LACADIE, C., GATENBY. C., GORE, J. C. 1998. « Functional Disruption in the Organization of Brain for Reading in Dyslexia ». *Proceedings of the National Academy of Sciences*. 95, 2636-2641.

SHAYWITZ, S. E., PUGH, K. R., JENNER, A. R., FULBRIGHT, R. K., FLETCHER, J. M., GORE, J. C., & SHAYWITZ, B. A. 2000. « The Neurobiology of Reading or Reading Disability (Dyslexia) ». In M. L. KAMIL, P. B. MOSENTHAL, P. D. PEARSON & R. BARR (Eds), *Handbook of Reading research*, (Vol. III, p. 229-249). Mahwah, New Jersey : Lawrence Erlbaum.

SHAYWITZ, B. A., SHAYWITZ, S. E., PUGH, K. R., MENCL, W. E., FULBRIGHT, R. K., CONSTABLE, R. T., SKUDLARSKI, P., JENNER, A. R., FLETCHER, J. M., MARCHIONE, K. E.,

SHANKWEILER, D. P., KATZ, L., LIBERMAN, A. M., LACADIE, C., & GORE, J. C. 2002. « Disruption of the Neural Circuitry for Reading in Children with Developmental Dyslexia ». *Biological Psychiatry*, 52, 101-110.

SHEFELBINE, J. 1995. *Learning and Using Phonics in Beginning Reading*. Scolastic Literacy Research Paper.

SIMOS, P. G., BREIER, J. I., WHELESS, J. W., MAGGIO, W. W., FLETCHER, J. M., CASTILLO, E. M., & PAPANICOLAOU, A. C. 2000a. « Brain Mechanisms for Reading: The Role of the Superior Temporal Gyrus in Word and Pseudoword Naming », *Neuroreport*, 11, 2443-7.

SIMOS, P. G., BREIER, J. I., FLETCHER, J. M., BERGMAN, E., & PAPANICOLAOU, A. C. 2000b. « Cerebral Mechanisms Involved in Word Reading in Dyslexia Children: A Magnetic Source Imaging Approach ». *Cerebral Cortex*, 10, 809-816.

SIMOS, P. G., BREIER, J. I., FLETCHER, J. M., FOORMAN, B. R., BERGMAN, E., FISHBECK, K., & PAPANICOLAOU, A. C. 2000c. « Brain Activation Profiles in Dyslexic Children during Nonword Reading: A Magnetic Source Imaging Study ». *Neuroscience Reports*, 290, 61-65.

SIMOS, P. G., FLETCHER, J. M., BERGMAN, E., BREIER, J. I., FOORMAN, B. R., CASTILLO, E. M., DAVIS, R. N., FITZGERALD, M., & PAPANICOLAOU, A. C. 2002a. « Dyslexia-Specific Brain Activation Profile Becomes Normal Following Successful Remedial Training ». *Neurology*, 58, 1203-13.

SIMOS, P. G., FLETCHER, J. M., FOORMAN, B. R, FRANCIS, D. J., CASTILLO, E. M., DAVIS, R. N., FITZGERALD, M., MATHES, P. G., DENTON, C., & PAPANICOLAOU, A. C. 2002b. « Brain Activation Profiles during the Early Stages of Reading Acquisition ». *Journal of Child Neurology*, 17, 159-163.

SPERRY, R. W. 1974. « Lateral Specialization in the Surgical Separated Hemispheres ». F. SCHMITT and F. WORDEN (Eds.), *Neurosciences Third Study Program*. Cambridge : MIT Press 3 : 5-19.

SPERRY, R. W. 1980. « Mind-Brain Interaction: Mentalism, Yes, Dualism, No ». *Neuroscience*, 5 : 195-205. Reprinted in *Commentaries in the*

Neurosciences. A. D. SMITH, R. L. LLANAS and P. G. KOSTYUK (Eds), Oxford : Pergamon Press, p. 651-662 (1980).

SPERRY, R. W. 1982. « Some Effects of Disconnecting the Cerebral Hemispheres ». *Science*, 217 : 1223-1226.

SPERRY, R. W., & GAZZANIGA, M. S. 1967. « Language following Surgical Disconnection of the Hemispheres ». In F. L. Darley (Ed.) : *Brain Mechanism Underlying Speech and Language* (p. 108-121). New York : Grune et Straton.

SPRENGER-CHAROLLES, L. 1993. *Les Actes de la Villette.*

STAHL, S., & MURRAY, B. 1994. « Defining Phonological Awareness and its Relationship to Early Reading ». *Journal of Educational Psychology*, 86, 221-234.

STANOVICH, K. 1992. « Speculation on the Causes and Consequences of Individual Differences in Early Reading Acquisition ». In GOUGH, P., EHRI, L., & TREIMAN, R. (Eds), *Reading Acquisition* (p. 307-342). Hillsdale, NJ : Lawrence Erlbaum.

STANOVITCH, K. E. 1997. *Twenty-five Years of Research on the Reading Process: The Grand Synthesis and what it Means for our Field.* Oscar, S. Causey Research Award Address presented at the National Reading Conference (dec. 1997). Scottsdale, Arizona.

TALLAL, P. & PIERCY, M. 1973. « Defects of Non-Verbal Auditory Perception in Children with Developmental Aphasia ». *Nature*, 241 : 468-469.

TALLAL, P. 1980. « Auditory Temporal Perception, Phonics, and Reading Disabilities in Children ». *Brain Language*, 9 : 182-198.

TANGEL, D., & BLACHMAN, B. 1992. « Effect of Phoneme Awareness Instruction on Kindergarten Children's Invented Spelling ». *Journal of Reading Behavior*, 24, 233-261.

TEMPLE, E., DEUTSCH, G. K., POLDRACK, R. A., MILLER, S. L., TALLAL, P., MERZENICH, M. M., & GABRIELI, J. D. 2003. *Neural Deficits in Children with Dyslexia Ameliorated by Behavioral Remediation: Evidence from Functional MRI.* Proceeding of the National Academy of Sciences USA, 100, 2860-2865.

TOMESEN, M., & AARNOUTSE, C. 1998. « Effects of an Instructional Programme for Deriving Word Meanings ». *Educational Studies*, 24 (1), 107-128.

TORGENSEN, J. K. 1997. « The Prevention and Remediation of Reading Disabilities: Evaluating what we Know from Research ». *Journal of Academic Language Therapy* 1 : 11-47.

TORGENSEN, J. K. 2000. « Individual Responses in Responses to Early Interventions in Reading: The Lingering Problem to Treatment Resisters ». *Learning Disabilities Research and Practice*, 15, 55-64.

TORGENSEN, J. K. 2002. « The Prevention of Reading Difficulties ». *Journal of School Psychology*, 40, 7-26.

TORGENSEN, J. K. 2004. « Lessons Learned from Research on Interventions for Students who Have Difficulty Learning to Read ». In P. McCARDLE & V. CHHABRA (Eds.), *The Voice of Evidence in Reading Research*. Baltimore : Brookes.

TORGESEN, J. K., WAGNER, R. K. & RASHOTTE, C. A. 1994. « Longitudinal Studies of Phonological Processing and Reading ». *Journal of Learning Disabilities*, 27, 276-286.

TORGESEN, J. K., WAGNER, R. K., RASHOTTE, C. A., ALEXANDER, A. W., & CONWAY, T. 1997. « Preventative and Remedial Intervention for Children with Severe Reading Disabilities ». *Learning Disabilities: A Multi-Disciplinary Journal* 8 : 51-62.

TOUZE, F., HABIB, M., BLANC-GARIN, J., & PONCELET, M. 1990. *Lexical Semantics in the Disconnected Right Hemisphere: a Reappraisal*. Proceeding of TENNET Meeting, Montréal. Brain lang., 39 : 608.

TUNNER, W., & HOOVER, W. 1993. « Phonological Recording Skill and Beginning Reading ». *Reading and Writing: An Interdisciplinary Journal*, 5, 161-179.

UNGERLEIDER, L. 1996. « Les dédales de la mémoire ». *La Recherche*, n° 289, p. 70-73.

UNGERLEIDER, L. G. & MISHKIN, M. 1982. « Analysis of Visual Behavior », D. G. INGLE, M. A. GOODALE & MANSFIELDS, R. J. Q. (Eds). MIT Press. p. 549.

VAN OOIJEN, B., BERTONCINI, J., SANSAVINI, A., & MEHLER, J. 1997. « Do Weak Syllables Count for Newborns? » *Journal of the Acoustical Society of America*, 102(6), 3735-3741.

VELLUTINO, F. R. 1979. *Dyslexia: Theory and Research*. Cambridge : MIT Press.

· VELLUTINO, F. R. & SCANLON, D. M. 1989. « Les effets des choix pédagogiques sur la capacité à identifier des mots », in L. RIEBEN et C. H. PERFETTI, *L'Apprenti lecteur*. Lausanne : Delachaux et Niestlé, p. 52-69.

VELLUTINO, F. R. & SCANLON, D. M. 1987. « Phonological Coding, Phonological Awareness, and Reading Ability: Evidence from a Longitudinal and Experimental Study ». *Merril-Palmer Quarterly*, 33, 321-363.

VELLUTINO, F. R. & SCANLON, D. M. 1991. « The Preeminence of Phonological Based Skills in Learning to Read ». In BRADY, S. A., and SHANKWEILER, D. P. (Eds), *Phonological Processes in Literacy* (p. 237-252). Hillsdale, NJ : Lawrence Erlbaum.

VELLUTINO, F. R. & SCANLON, D. M. & TANZMAN, M. S. 1994. « Components of Reading Ability: Issues and Problems in Operationalizing Word Identification, Phonological Coding, and Orthographic Coding ». In G. R. LYON (Ed), *Frames of Reference for the Assessment of Learning Disabilities: New views on Measurement Issues*. (p. 179-332). Baltimore, M. B : Paul H. Brookes.

VELLUTINO, F. R. & SCANLON, D. M., SIPAY, E. R., SMALL, S. G., PRATT, A., CHEN, R., & DENCKLA, M. B. 1996. « Cognitive Profiles of Difficult to Remediate and Readily Remediated Poor Readers: Early Intervention as a Vehicle for Distinguishing between Cognitive and Experiential Deficits as Basic Causes of Specific Reading Disability ». *Journal of Educational Psychology*, 88, 601-638.

WAGNER, R. K. & TORGESEN, J. K. 1987. « The Nature of Phonological Processing and its Causal Role in the Acquisition of Reading Skills ». *Psychological Bulletin*, 101, 192-212.

WILLIAMS, J. 1980. « Teaching Decoding with an Emphasis on Phoneme Analysis and Phoneme Blending ». *Journal of Educational Psychology*, 72, 1-15.

WILLIAMS, J. 1991. « The Meaning of a Phonics Base for Reading Construction ». In ELLIS, W. (ed.) *All Language and the Creation of Literacy*. Baltimore : Orton Dyslexia Society.

WISE B. W., & OLSON R. K. 1992. « Spelling Exploration with a Talking Computer Improves Phonological Coding ». *Reading and Writing* 4 : 145-163.

WISE B. W., & OLSON R. K. 1995. « Computer-Based Phonological Awareness and Reading Instruction ». *Annals of Dyslexia* 45 : 99-122.

WISE, B., KING, J., & OLSON, R. 1999. « Training Phonological Awareness with and without Explicit Attention to Articulation ». *Journal of Experimental Child Psychology*, 72, 271-304.

WHITE, T. G., GRAVES, M. F., & SLATER, W. H. 1990. « Growth of Reading Vocabulary in Diverse Elementary Schools: Decoding and Word Meaning ». *Journal of Educational Psychology*, 82 (2), 281-290.

WOLF, M. 1991. « Naming Speed and Reading: the Contribution of the Cognitive Neurosciences ». *Reading Research Quaterly*, 26. 123-141.

YOPP, H. K. 1992. « Developing Phonemic Awareness in Young Children ». *The Reading Teacher*, 45, 696-703.

ZAIDEL, E., ZAIDEL, D. W., SPERRY, R. W. 1983. « Hemispheric Specialization in Nonverbal Communication ». *Cortex*, 17(2) : 197-85.

Dans la même collection

Achevé d'imprimer : Jouve,
1, rue du Docteur Sauvé, 53100 Mayenne
N° d'imprimeur : 2143729D
Dépôt légal : février 2014
Imprimé en France